HEYNE‹

ZUM BUCH

Es beginnt ganz unspektakulär mit einer Zerrung im Ober-
schenkel. Der First Baseman der Chicago Cubs stürzt, und die
Mannschaft braucht plötzlich einen freien Spieler, der die
Position übernehmen kann. Damit kommt Joe Castle ins Spiel,
ein einundzwanzigjähriger College-Spieler, der eine viel ver-
sprechende Saison hinter sich hat. Es dauert nicht lange, bis
Castle seinen ersten Rekord für die Cubs aufstellt: drei Home
Runs in einem Spiel. Noch glaubt jeder an Anfängerglück,
doch Castle beweist brillant das Gegenteil. Er schlägt einen
Home Run nach dem anderen und wird bald im ganzen Land
als Jahrhunderttalent umjubelt. Bis er während eines Spiels
gegen die New Yorker Mets auf Warren Tracey trifft, der einen
Ball wirft, der Joe Castles Leben für immer verändern wird.
Dreißig Jahre später macht sich Traceys Sohn auf den Weg, um
Joe Castle um Vergebung für seinen Vater zu bitten. Eine
schicksalhafte Reise, deren Ausgang ungewiss ist.

ZUM AUTOR

John Grisham hat 26 Romane, ein Sachbuch, einen Erzählband
und vier Jugendbücher veröffentlicht. Seine Bücher wurden in
38 Sprachen übersetzt. Er lebt in Virginia und Mississippi.

Ein ausführliches Werkverzeichnis findet sich im Anhang des
Romans.

JOHN GRISHAM

HOME RUN

Roman

Aus dem Amerikanischen
von Bea Reiter

WILHELM HEYNE VERLAG
MÜNCHEN

Die Originalausgabe CALICO JOE erschien bei
Doubleday, New York

Verlagsgruppe Random House FSC® N001967
Das für dieses Buch verwendete FSC®-zertifizierte Papier
Holmen Book Cream liefert Holmen Paper,
Hallstavik, Schweden.

Vollständige deutsche Taschenbuchausgabe 09/2014
Copyright © 2012 der Originalausgabe by Belfry Holdings, Inc.
Copyright © 2013 der deutschsprachigen Ausgabe by
Wilhelm Heyne Verlag, München
in der Verlagsgruppe Random House GmbH
Printed in Germany 2014
Umschlaggestaltung und Motiv: © Hauptmann & Kompanie
Werbeagentur, Zürich, Kim Becker
Satz: Greiner & Reichel, Köln
Druck und Bindung: GGP Media GmbH, Pößneck
ISBN: 978-3-453-41637-6

www.heyne.de

1

Der Tumor in der Bauchspeicheldrüse meines Vaters wurde letzte Woche entfernt, in einer Operation, die fünf Stunden dauerte und schwieriger war, als die Ärzte erwartet hatten. Anschließend eröffneten sie ihm, dass die meisten Menschen in seinem Zustand nicht länger als neunzig Tage überlebten. Da ich weder von der Operation noch von dem Tumor etwas gewusst hatte, war ich nicht bei ihm, als er sein Todesurteil erhielt. Kommunikation ist für meinen Vater Nebensache. Vor zehn Jahren ließ er sich von seiner damaligen Frau scheiden und war bereits mit der nächsten zusammen, bevor ich etwas davon erfuhr.

Irgendwann rief seine jetzige Ehefrau – sie ist Nummer fünf oder Nummer sechs – bei mir an, erinnerte mich daran, wer sie war, und teilte mir die nötigsten Details über den Tumor und die damit verbundenen Umstände mit. Agnes erklärte, mein Vater fühle sich nicht wohl und wolle nicht reden. Ich erwiderte, er habe nie reden wollen, egal, ob es ihm gut oder schlecht gegangen sei. Sie bat mich, dem Rest der Familie Bescheid zu geben. Fast hätte ich »Warum?« gefragt, doch ich wollte mich mit der armen Frau nicht streiten.

Der »Rest der Familie« besteht aus meiner jüngeren Schwester Jill und meiner Mutter. Jill lebt in Seattle, und soweit ich weiß, hat sie seit zehn Jahren nicht mehr mit unserem Vater gesprochen. Sie hat zwei kleine Kinder, die ihn nicht kennen und auch nie kennenlernen werden. Meine Mutter hat zwölf Jahre Ehe mit ihm überstanden und sich dann zum Glück scheiden lassen. Jill und mich hat sie damals mitgenommen. Ich habe so eine Ahnung, dass ihr die Nachricht von seinem bevorstehenden Tod schlichtweg egal sein wird.

Es versteht sich von selbst, dass wir Weihnachten nicht zusammen verbringen und auch keine Geschenke unterm Baum austauschen.

Nach dem Anruf von Agnes sitze ich an meinem Schreibtisch und denke darüber nach, wie das Leben ohne Warren, meinen Vater, sein wird. »Warren« nenne ich ihn seit dem College, weil er immer eher eine Person, ein Fremder, war als mein Vater. Er hat nicht protestiert. Ihm ist es immer egal gewesen, wie ich ihn anrede, und ich bin stets davon ausgegangen, dass es ihm am liebsten ist, wenn ich überhaupt nicht mit ihm rede. Gelegentlich versuchte ich es trotzdem; er nicht.

Nach ein paar Minuten gestehe ich es mir ein. Das

Leben ohne Warren wird genauso sein wie das Leben mit ihm.

Ich rufe Jill an und berichte ihr von den Neuigkeiten. Ihre erste Frage ist, ob ich vorhätte, zur Beerdigung zu gehen, was ich für etwas verfrüht halte. Sie will wissen, ob sie versuchen soll, ihn zu besuchen, um Hallo zu sagen und sich von ihm zu verabschieden und so zu tun, als würde ihr etwas an ihm liegen, obwohl dem nicht so ist. Mir liegt auch nichts an ihm, und schließlich geben wir es beide zu. Wir haben nichts für Warren übrig, weil wir ihm immer egal waren. Er verließ die Familie, als wir Kinder waren, und hat die letzten dreißig Jahre damit verbracht, so zu tun, als gäbe es uns nicht. Jill und ich haben beide selbst Kinder, und für uns ist es unvorstellbar, dass ein Vater nichts mit seinen eigenen Sprösslingen anfangen kann.

»Ich werde ihn nicht besuchen«, verkündet sie schließlich. »Jetzt nicht und später auch nicht. Was ist mit dir?«

»Ich weiß es nicht«, erwidere ich. »Ich muss darüber nachdenken.«

In Wirklichkeit ist mir schon klar, dass ich ihn besuchen werde. Er hat zwar fast alle Brücken hinter sich abgebrochen, doch es gibt eine wichtige, unerledigte Sache, mit der er sich vor seinem Tod noch beschäftigen muss.

Meine Mutter lebt mit ihrem zweiten Mann in Tulsa. In der Highschool war Warren die absolute Sportskanone und sie die Homecoming Queen, das beliebteste Mädchen der Schule. Als die beiden heirateten, jubelte die ganze Stadt mit ihnen, doch nach ein paar Jahren mit Warren war es vorbei mit dem Jubel. Ich weiß, dass sie seit Jahrzehnten nicht mehr miteinander gesprochen haben. Warum auch?

»Mom, ich habe schlechte Nachrichten«, sage ich ins Telefon, während ich versuche, angemessen verhalten zu klingen.

»Was gibt es?«, fragt sie schnell. Vermutlich hat sie Angst, dass einem ihrer Enkelkinder etwas passiert ist.

»Warren ist krank. Bauchspeicheldrüsenkrebs. Er hat keine drei Monate mehr zu leben.«

Eine Pause, Erleichterung, und dann: »Ich dachte, er wäre schon tot.«

Da haben wir's. Bei Warrens Beerdigung werden sich die trauernden Familienangehörigen nicht auf die Füße treten.

»Tut mir leid«, sagt sie, obwohl das nicht stimmt. »Du wirst dich wohl allein darum kümmern müssen.«

»Das habe ich mir schon gedacht.«

»Paul, ich möchte nicht damit behelligt werden. Ruf mich an, wenn es vorbei ist. Nein, lass es. Es ist mir egal, was mit Warren geschieht.«

»Verstehe, Mom.«

Ich weiß, dass er sie ein paarmal geschlagen hat, vermutlich viel öfter, als mir bewusst gewesen war. Außerdem trank er, war hinter anderen Frauen her und führte das ausschweifende Leben eines Profibaseballspielers. Er war arrogant und eingebildet und ab dem Alter von fünfzehn daran gewöhnt, alles zu bekommen, was er wollte, denn er, Warren Tracey, konnte mit einem Baseball eine Mauer durchbrechen.

Es gelingt uns, das Gespräch auf die Kinder zu bringen und darauf, wann meine Mutter sie das nächste Mal besuchen kommt. Da sie nicht nur schön, sondern auch intelligent war, fiel sie nach Warren auf die Füße. Sie heiratete einen etwas älteren Mann, der als leitender Angestellter bei einer Ölbohrfirma arbeitete und Jill und mir ein schönes Zuhause bieten konnte. Er liebt Mom, und das ist alles, was zählt.

Ich bezweifle, dass Warren sie je geliebt hat.

2

Im Sommer 1973 erwachte das Land langsam aus dem Trauma des Vietnamkriegs. Vizepräsident Spiro Agnew steckte in Schwierigkeiten, was ihn später das Amt kosten sollte. Die Watergate-Affäre kochte hoch, doch das war erst der Anfang. Ich war elf Jahre alt und wusste so ungefähr, was in der realen Welt da draußen vor sich ging, ließ mich aber nicht im Mindesten davon beeinflussen. Meine Welt war Baseball, und sonst war eigentlich nichts wichtig. Mein Vater war Pitcher bei den New York Mets, und ich fieberte bei jedem Spiel mit. Ich spielte ebenfalls als Pitcher, für die Scrappers in der Little League von White Plains, und bei einem Vater wie meinem erwartete man Großes von mir. Diese Erwartungen erfüllte ich nur selten, doch es gab Momente, die durchaus vielversprechend waren.

Anfang Juli war aus dem Kampf um die Meisterschaft in der National League East ein langweiliger Wettstreit geworden. Alle sechs Mannschaften – New

York Mets, Pittsburgh Pirates, St. Louis Cardinals, Philadelphia Phillies, Chicago Cubs und Montreal Expos – hatten eine Winning Percentage um die .500, und bislang gab es wenig Anzeichen für den Durchmarsch eines Teams. In der Western Division setzten sich die Cincinnati Reds und die Los Angeles Dodgers von den anderen Teams ab. In der American League sah alles danach aus, als würden die Oakland Athletics – mit ihrem großspurigen Auftreten, den bunten Trikots und den langen Haaren – wie im Vorjahr die Meisterschaft erreichen können.

Meine Freunde und ich verfolgten gewissenhaft jedes Spiel. Wir kannten jeden Spieler und alle Statistiken. Wir sahen uns sämtliche Box Scores in den Zeitungen an und spielten die Partien in White Plains nach, wo gerade Platz war. Das Leben bei mir zu Hause war nicht immer schön, und auf dem Baseballplatz konnte ich ihm entkommen. Baseball war mein bester Freund, und Mitte Juli 1973 sollte es so spannend werden wie noch nie zuvor.

Es begann ganz unspektakulär, mit einer Zerrung im Oberschenkel. Der First Baseman des AAA-Affiliate der Cubs in Wichita stürzte, als er bei einem Home Run an der dritten Base vorbeikam. Am nächsten Tag verletzte sich Jim Hickman, der First Baseman der Cubs, am Rücken. Die Mannschaft brauchte plötzlich jemanden, der auf der Position des First Baseman spielen konnte, daher wandte sich das Management an das AA-Team der Cubs in Midland, Texas, und holte sich einen Einundzwanzigjährigen namens Joe Castle. Zu der Zeit konnte Castle einen Trefferdurchschnitt von .395 vorweisen, mit zwanzig Home Runs, fünfzig Runs Batted In, vierzig gestohlenen Bases und nur einem Error an der ersten Base. Er war der vielversprechendste AA-Spieler und bereits für einen Wechsel im Gespräch.

Angeblich schlief Castle gerade in dem billigen Apartment, das er sich mit vier Spielern anderer Minor-League-Mannschaften teilte, als der Anruf aus Chicago kam. Ein Assistenz-Coach fuhr ihn zum Flugplatz von Midland, wo Castle gerade noch einen Flug nach Houston erwischte. Dort wartete er zwei Stunden auf den Anschluss nach Philadelphia. Währenddessen rief er seine Familie in Arkansas an und teilte ihr die aufregenden Neuigkeiten mit. Als er in Philadelphia ankam, brachte ihn ein Taxi ins Veterans Stadium, wo man ihm seine Spielerkleidung in die Hand drückte, die Nummer 42 verpasste und aufs Feld schickte. Die Cubs waren bereits beim Schlagtraining. Castle war natürlich nervös und aufgeregt, sogar etwas verwirrt. Als Whitey Lockman, der Manager, sagte: »Ganz locker. Du spielst an der ersten Base und schlägst als Siebter«, hatte Castle Mühe, seinen brandneuen Schläger festzuhalten. Bei seinem ersten Schlagtraining in der Major League ging er die ersten beiden Pitches an und verfehlte sie.

Das sollte ihm jedoch dann lange Zeit nicht mehr passieren.

Vor dem Spiel beriet sich Joe mit Don Kessinger,

dem erfahrenen Shortstop der Cubs, und einem anderen Spieler, der ebenfalls aus Arkansas stammte. Kessinger war an der University of Mississippi ein All-American[1] in Baseball und Basketball gewesen und schaffte es, den Rookie zu beruhigen. Sein einziger Ratschlag war: »Geh raus und triff den Ball.« Der Center Fielder der Cubs war Rick Monday, auch er ein erfahrener Spieler, der in Batesville, Arkansas, geboren worden war, nicht weit von Joes Heimatstadt entfernt, nur ein Stück den White River hinunter. Mithilfe von Kessinger und Monday gelang es Joe, einen heftigen Anfall von Lampenfieber zu überstehen.

Es war Donnerstag, der 12. Juli, ein denkwürdiger Tag für den Baseball.

Der Pitcher der Phillies, Benny Humphries, war Linkshänder mit einer Präferenz für Fastballs, der genauso viele Walks abgab wie er Strikeouts warf. Als Joe im zweiten Inning zur Home Plate ging, biss er die Zähne zusammen und schwor sich, beim ersten Pitch zu schwingen, egal, wie der Ball kam. Humphries wollte dem Neuen zeigen, woher in der Major League der Wind wehte, und warf so hart und schnell, wie er nur konnte. Joe, der von rechts schwang, tippte richtig auf Fastball, traf den Ball in einem perfekten Winkel und hämmerte ihn zwanzig

1 *All-American:* Schüler/Student, der im US-amerikanischen College- oder Highschool-Sport in die landesweite Bestenauswahl einer Sportart gewählt wird (Anm. d. Übers.).

Reihen weit ins Left Center Field. Er sprintete um die Bases, weil er viel zu aufgeregt war, um seinen Triumph genießen zu können und langsamer zu laufen. Noch bevor er wieder zu Atem kommen konnte, war er auch schon im Dugout, wo ihm alle gratulierten.

Joe war nicht der erste Spieler eines Major-League-Teams, der bei seinem Debüt gleich beim ersten Pitch einen Home Run geschafft hatte. Genau genommen war er der elfte. Sechsundvierzig Spieler hatten bei ihrem ersten Schlagdurchgang einen Home Run erzielt, elf von ihnen beim ersten Pitch. Trotzdem hatte Joe Castle einen Rekord aufgestellt. Und er war bereits auf dem Weg zum nächsten.

Im fünften Inning begann Humphries mit einem Brushback, einem hohen Fastball auf den Körper, der als Warnung gedacht war, doch Joe wollte ihn nicht verstehen. Er trieb den Spielstand auf 3 : 1 hoch und schlug einen Fastball über das Left Field hinaus, wobei er die Innenseite des Foul-Masts leicht berührte. Der Schiedsrichter an der dritten Base gab mit dem rechten Zeigefinger sofort das Home-Run-Signal. Joe, der um die erste Base lief und den Ball im Auge behielt, beschleunigte zu einem Sprint und wurde erst langsamer, als er sich der Home Plate näherte. Dieser Rekord gehörte nur ihm und einem weiteren Spieler. 1951 hatte Bob Nieman von den St. Louis Browns Home Runs bei seinen ersten beiden Schlagdurchgängen – At Bats – in einer Major League erzielt.

Die Mets spielten an jenem Abend gegen die Braves in Atlanta, und das Spiel wurde nicht im Fernsehen übertragen. Ich war in Tom Sabbatinis Hobbykeller und hörte Lindsey Nelson zu, dem wunderbaren Live-Kommentator der Mets, der schilderte, was in Philadelphia gerade passierte. »Er hat eben einen Rekord gebrochen«, sagte er. »Tausende junger Männer haben in einer Major-League-Mannschaft angefangen, und nur zwei von ihnen ist es gelungen, gleich in ihren ersten beiden At Bats Home Runs zu erzielen.«

»Ich frage mich, ob er das auch ein drittes Mal schafft«, fügte Ralph Kiner hinzu, der in die Hall of Fame aufgenommene Slugger und Lindseys Komoderator.

Im sechsten Inning wurde Humphries vom Wurfhügel genommen, und die Phillies brachten einen Middle Reliever ins Spiel, einen Rechtshänder namens Tip Gallagher. Als Joe in der ersten Hälfte des siebten Innings den On-Deck-Circle verließ, stand es 4 : 4, und die normalerweise sehr lautstarken Fans der Phillies waren auffällig ruhig. Es gab keinen Applaus, nur Neugierde. Zur Überraschung aller schwang Joe von links. Da es keinen Scouting Report gab, wussten die Phillies nicht, dass er beidhändig schlagen konnte. Während des Schlagtrainings hatte sich niemand die Mühe gemacht, ihn zu beobachten. Einen niedrigen Curveball ließ er durch, aus den nächsten beiden Fastballs machte er Foul Balls, ungültige Bälle.

Nach zwei Strikes nahm er die Füße enger zusammen und fasste den Schläger etwa sieben Zentimeter höher. In der letzten Saison war er der Schlagmann mit dem niedrigsten Strikeout-Durchschnitt in der Texas League gewesen. Joe Castle war am gefährlichsten, wenn er zwei Strikes hatte.

Ein Slider kam zu niedrig, dann warf Gallagher einen Fastball, der außerhalb der Strike Zone lag. Joe ging den Ball an und hämmerte ihn ins Left Center, ein Line Drive, der immer höher stieg, bis er eineinhalb Meter hoch über den Zaun flog. Als Joe zum dritten Mal in Folge die Bases umrundete, stellte er damit einen Rekord auf, der unerreichbar schien. Kein Rookie in einer Major League hatte jemals drei Home Runs bei seinen ersten drei Schlagdurchgängen erzielt.

Joe Castle stammte aus Calico Rock, Arkansas, einem winzigen, pittoresken Städtchen nahe dem White River am Ostrand der Ozark Mountains. Die Menschen dort waren traditionell Anhänger der Cardinals, schon seit den Tagen von Dizzy Dean, einem Farmjungen und Kapitän der berühmt-berüchtigten Gashouse Gang in den 1930ern. Sein Bruder Paul – »Daffy« genannt – spielte ebenfalls bei den Cardinals, als Pitcher. 1934, als das Team auf dem Gipfel seines Ruhms stand, sagte Dizzy beim Spring Training voraus, dass er und Daffy zusammen fünfzig Wins erzielen würden. Sie schafften neunundvierzig – dreißig für Dizzy, neunzehn für Daffy.

Zwanzig Jahre später wurde Stan Musial, der größte Cardinals-Spieler aller Zeiten, fast wie ein Gott verehrt. Wie in zahllosen anderen Städten im Midwest und im Deep South stand auch in Calico Rock auf jeder Veranda ein Radio, und an den langen, heißen Sommerabenden verfolgten die Einwohner gebannt die Spiele der Cardinals, die vom Sender KMOX in St. Louis übertragen wurden. Auf jeder Straße und in jedem Auto waren die Stimmen von Harry Caray und Jack Buck zu hören.

Am 12. Juli wurde an den Radios in Calico Rock jedoch der Sender WGN aus Chicago eingestellt, und Joes Freunde und Familie spitzten bei jedem Pitch die Ohren. Die Rivalität zwischen den Cardinals und den Cubs in der National League war legendär, und obwohl viele in der Stadt gar nicht glauben wollten, dass sie die verhassten Cubs anfeuerten, taten sie es trotzdem, und das auch noch mit Inbrunst. Innerhalb weniger Stunden waren die Einwohner von Calico Rock zu glühenden Fans der Cubs geworden. Nach dem ersten Home Run versammelte sich vor dem Evans Drug Store in der Main Street eine Menschenmenge. Als Joes Eltern und seine beiden Brüder mit ihren Ehefrauen und Kindern kamen und sich zu den Menschen gesellten, wurden sie mit stürmischen Umarmungen und Jubelrufen empfangen.

Der dritte Home Run löste Begeisterungsstürme in der Stadt aus. Auch in den Straßen und Pubs von Chicago wurde gefeiert.

So überwältigend seine ersten drei At Bats gewesen waren, mit seinem vierten gewann Joe auch die Baseballpuristen für sich. Erste Hälfte des neunten Innings, Spielstand 6 : 6, zwei Outs, Don Kessinger an der dritten Base, ein starker Rechtshänder namens Ed Ramon auf dem Wurfhügel. Als Joe an die Plate kam, klatschten einige der achtzehntausend Fans höflich, dann legte sich eine sonderbare Stille über das Veterans Stadium. Ramons erster Wurf war ein Fastball an der Außenkante des Schlagraums. Joe wartete, schwang seinen Schläger wie einen Besenstiel, traf den Ball und hämmerte ihn als Line Drive einige Zentimeter am Kissen der ersten Base vorbei – ein Foul Ball, aber nichtsdestotrotz sehr beeindruckend. Ernie Banks, der Coach der Cubs an der ersten, hatte keine Zeit mehr zu reagieren, und hätte der Ball ihn getroffen, wäre er schwer verletzt worden. Willie Montanez, der First Baseman der Phillies, wich nach links aus, aber erst nachdem der Ball von der Tribüne abgeprallt war und ins Right Field rollte. Instinktiv machte Montanez zwei Schritte nach hinten. Joe, der das bemerkte, änderte seine Taktik. Der zweite Pitch war ein hoher Changeup. Bei einem Count von 1 und 1 versuchte Ramon einen weiteren Fastball. Als er ihn losließ, zögerte Joe für den Bruchteil einer Sekunde, dann lief er in Richtung der ersten Base los und hielt den Schläger hinter sich. Er ließ den Ball ins Infield abtropfen und schickte ihn in Richtung Second Baseman, Denny Doyle, der genauso überrascht war wie Ramon, Montanez und alle anderen im Stadion. Als Doyle den Ball erreicht hatte – oder besser gesagt als der Ball Doyle erreicht hatte –, war Joe schon drei Meter an der ersten Base vorbei und wurde an der Foul-Linie des Right Field entlang langsamer. Kessinger rückte zur Home Plate vor und erzielte einen Run. Die Zuschauer waren sprachlos. Die Spieler beider Mannschaften sahen es fassungslos mit an. Der Junge hatte die Chance, vier Home Runs in einem einzigen Spiel zu schlagen – eine Meisterleistung, die es in hundert Jahren nur neun Mal gegeben hatte –, legte aber stattdessen einen perfekten Drag Bunt hin, um sein Team in Führung zu bringen.

Die meisten derjenigen, die in der Main Street von Calico Rock der Übertragung des Spiels lauschten, hatten so einen Drag Bunt schon gesehen, obwohl Joe Castle ihn nur selten geschlagen hatte. Weit geschlagene Home Runs und Inside-the-Park-Home-Runs waren bei ihm weitaus häufiger an der Tagesordnung gewesen. Sein ältester Bruder Charlie, der jetzt auf einer Bank vor dem Drugstore saß, hatte Joe den Drag Bunt beigebracht, als dieser zehn Jahre alt gewesen war. Er hatte ihm auch gezeigt, wie man beidhändig schlug, eine Base stahl und aus einem Pitch, der nah an den Körper geworfen wurde, aber nicht das war, was man wollte, einen Foul Ball machte. Der mittlere Bruder, Red, hatte eine Million Ground Balls für ihn geschlagen und seine Fußarbeit an der ersten Base perfektioniert. Beide Brüder hatten ihn gelehrt, wie man kämpfte.

»Warum hat er gebuntet?«, wurde Charlie von jemandem in der Menge gefragt.

»Um den Punkt zu machen und die Mannschaft in Führung zu bringen«, erwiderte Charlie. So einfach war das.

Die Stadionsprecher der Cubs, Vince Lloyd und Lou Boudreau, hatten während des Spiels das Rekordbuch durchgesehen und waren sicher, dass sie wussten, wovon sie redeten. Drei Home Runs im ersten Spiel in einer Major-League-Karriere waren ein Novum. Vier Hits nacheinander im ersten Spiel waren ein Rekord der Neuzeit; allerdings hatte es 1894 schon mal einen Rookie gegeben, dem fünf Hits in Folge gelungen waren.

Chicago gewann mit 7:6, und als das Spiel endete, saßen so gut wie alle Fans der Cubs vor den Radiogeräten. Heute wurde Geschichte geschrieben, und das wollte sich niemand entgehen lassen. Lou Boudreau versprach seinen Zuhörern, nach dem Spiel ein Interview mit Joe zu führen.

Die Menschenmenge in Calico Rock wurde immer größer. Die Stimmung war laut und ausgelassen, der Stolz der Zuhörer fast mit Händen zu greifen. Eine halbe Stunde nach dem Spiel drang Lou Boudreaus Stimme aus dem Radio:

»Ich stehe hier in der Kabine der Gastmannschaft, neben Joe Castle, der, wie Sie sich sicher denken können, von Reportern umzingelt ist. Und hier ist er auch schon.«

Auf der Main Street in Calico Rock herrschte plötzlich atemlose Stille; niemand bewegte sich, niemand sagte auch nur ein Wort.

»Joe, für einen Rookie war das gar nicht so übel. Was denken Sie gerade?«

»Ich würde gern meine Familie und meine Freunde in Calico Rock grüßen. Ich wünschte, sie könnten jetzt hier sein. Ich kann es immer noch gar nicht glauben.«

»Joe, was haben Sie gedacht, als Sie im zweiten Inning an die Plate getreten sind?«

»Ich habe mit einem Fastball gerechnet und gleich den ersten Pitch angenommen. Und Glück war wohl auch dabei.«

»Kein Rookie hat es je geschafft, bei seinen ersten drei At Bats gleich drei Home Runs zu erzielen. Sie haben einen Rekord aufgestellt.«

»Sieht ganz so aus. Ich bin jedenfalls froh, hier zu sein. Gestern Abend um diese Zeit habe ich noch in Midland, Texas, gespielt. Eigentlich kann ich es immer noch nicht glauben.«

»Es ist ein Rekord, glauben Sie mir. Ich muss Sie was fragen, und ich glaube, da bin ich nicht der Erste: Was haben Sie im neunten Inning gedacht? Sie hatten die Chance, vier Home Runs in einem Spiel zu schlagen, trotzdem haben Sie gebuntet.«

»Ich habe nur an eines gedacht: Don musste von der dritten Base an die Home Plate, um uns in Führung zu bringen. Ich liebe Baseball, aber wenn man nicht gewinnt, macht es einfach keinen Spaß.«

»Sieht ein bisschen so aus, als hätten Sie heute

eine Glückssträhne gehabt. Glauben Sie, dass Sie das morgen Abend noch mal schaffen?«

»An morgen Abend habe ich noch gar nicht gedacht. Don und ein paar der anderen Jungs wollen mit mir ein Steak essen gehen, und ich bin sicher, dass wir uns dann darüber unterhalten werden.«

»Viel Glück.«

»Danke. Vielen Dank.«

An diesem Abend gingen nur wenige in Calico Rock vor Mitternacht ins Bett.

Meine Mutter weckte mich wie versprochen um sechs Uhr morgens, damit ich die Fernsehnachrichten nicht verpasste. Ich hoffte, wenigstens einen Blick auf Joe Castle erhaschen zu können. Channel 4 brachte einen kurzen Bericht über die Spiele der National League. Die Mets hatten in Atlanta gewonnen, was sie zwei Spiele über .500 brachte. Und dann kam es: Joe Castle sprintete in Philadelphia um die Bases, einmal, zweimal, dreimal. Und der Drag Bunt bekam genauso viel Sendezeit wie die Home Runs. Der Junge konnte fliegen.

Meine Mutter holte die *New York Times* aus der Einfahrt. Auf der ersten Seite des Sportteils war ein Schwarz-Weiß-Foto von Joe und ein langer Artikel über sein historisches Debüt. Ich holte mir eine Schere, schnitt Foto und Artikel aus und legte ein neues Scrapbook an, eines von vielen, in denen ich akribisch zusammentrug, was ich über einen Spieler finden konnte. Wenn die Mets ein Heimspiel hatten und mein Vater zu Hause war, musste ich die Zeitungen einige Tage aufbewahren, bevor ich die Artikel über Baseball ausschneiden konnte.

Ich fand es toll, wenn die Mets auswärts spielten. Dann war mein Vater weg, und in unserem Haus war alles ruhig und friedlich. Doch wenn er zu Hause war, herrschte eine völlig andere Stimmung. Denn er war ein egozentrischer, schwermütiger Mann, der nur selten ein freundliches Wort für uns hatte. Er hatte nie sein volles Potenzial erreicht, was aber immer an jemand anders lag – am Manager, an seinen Mannschaftskameraden, den Eigentümern des Klubs, ja sogar an den Schiedsrichtern. An den Abenden, an denen er gespielt hatte, kam er häufig sehr spät und betrunken nach Hause, und so begannen dann auch die Probleme. Ich war zwar erst elf Jahre alt, ahnte aber bereits, dass meine Eltern nicht zusammenbleiben würden.

Wenn die Mets auswärts spielten, rief er nur selten an. Ich dachte oft, wie schön es wäre, wenn mein Vater nach einem Spiel zu Hause anrufen und mit mir über Baseball reden würde. Bei jedem Spiel der Mets saß ich vor dem Fernseher oder dem Radio und hatte unzählige Fragen, aber wahrscheinlich zog er danach mit seinen Mannschaftskameraden um die Häuser und hatte keine Zeit.

Ich spielte mit Begeisterung Baseball, allerdings nur, wenn mein Vater mir nicht dabei zusah. Wegen seiner vielen Termine hatte er nur selten Zeit, bei meinen Spielen dabei zu sein, was für mich eine unbeschreibliche Erleichterung war. Doch wenn er da war, hätte ich am liebsten nicht gespielt. Auf dem Weg zum Baseballplatz hielt er mir immer Vorträge, während des Spiels schrie er mich an, und – das war das Schlimmste – auf dem Weg nach Hause schimpfte er die ganze Zeit mit mir. Einmal schlug er mich sogar, als wir im Auto saßen und heimfuhren. Seit meinem siebten Lebensjahr hatte ich bei jedem Spiel, bei dem mein Vater als Zuschauer dabei gewesen war, geweint.

3

Sara und ich lernten uns im zweiten Studienjahr an der University of Oklahoma kennen. Einen Monat nach unserem Examen heirateten wir. Warren war sowohl zur Abschlussfeier als auch zur Hochzeit eingeladen, kam aber nicht. Was niemanden überraschte.

Wir haben drei wunderbare Töchter und leben in Santa Fe, wo ich Software für ein Luft- und Raumfahrtunternehmen schreibe. Sara hat bis zur Geburt der Mädchen als Innenarchitektin gearbeitet, dann aber beschlossen, als Vollzeitmutter zu Hause zu bleiben. Ich freute mich natürlich über jeden weiteren Familienzuwachs, jedes weitere gesunde Baby, und war nicht im Mindesten darüber enttäuscht, dass Gott uns nur Mädchen zugedacht hatte. Ich wollte gar keinen Jungen, weil ich nicht wollte, dass er einen Baseball in die Hand nahm und anfing, ihn in der Gegend herumzuwerfen. Die meisten meiner Freunde haben ein oder zwei Jungen, und alle haben ihnen irgendwann einmal beigebracht, Baseball zu spielen. Wenn wir einen Jungen hätten, wäre ich mit Sicherheit einmal in die Versuchung gekommen, es genauso zu machen, und daher bin ich ganz froh darüber, dass es in unserer Familie nur Mädchen gibt.

Ich habe mit elf Jahren mit dem Baseballspielen aufgehört und seit dreißig Jahren kein einziges Inning mehr gesehen.

Mein Arbeitgeber ist eines dieser fortschrittlichen Unternehmen mit allen möglichen Leistungen und flexibler Arbeitszeitgestaltung. Ich könnte auch von zu Hause aus arbeiten, doch ich mag mein Büro, meine Kollegen, selbst meine Vorgesetzten. Ich finde es aufregend, dabeizusein, wie eine neue Technologie entsteht, weiterentwickelt wird und dann irgendwann auf den Markt kommt.

Ich erkläre meinem Chef, dass ich ein paar Tage Urlaub für eine kurze Reise brauche, die nichts mit meiner Arbeit zu tun hat. Kein Problem, meint er. Als ich Sara erzähle, was ich vorhabe, hat sie vollstes Verständnis dafür. Sie weiß, um was es geht, und ich glaube, wir haben beide gewusst, dass diese Reise eines Tages unumgänglich sein würde.

Ich fahre zum Flughafen in Santa Fe und kaufe ein Ticket nach Memphis, einfach.

Als Warren fünfunddreißig war, gelang es ihm, einen alten Freund bei den Baltimore Orioles dazu zu überreden, ihn zu einigen Testspielen beim Spring

Training einzuladen. Er konnte immer noch schnell und hart werfen, aber er hatte keine Kontrolle über sich. Dazu kam, dass sein Name ein rotes Tuch war und keine andere Mannschaft etwas mit ihm zu tun haben wollte. Er fiel gleich beim ersten Spiel durch und wurde am nächsten Tag aus dem Kader gestrichen. Anschließend rief er zu Hause an und sagte meiner Mutter, dass er vorhabe, in Florida zu bleiben, wo ihn ein Minor-League-Team als Pitching-Coach haben wolle. Das stimmte nicht, was ich sehr wohl wusste. Zu der Zeit war ich zwölf, und ich war mir vollkommen im Klaren darüber, dass mein Vater ein notorischer Lügner war. Einige Monate später reichte meine Mutter die Scheidung ein, und am Ende des Schuljahrs zogen wir zu ihren Eltern nach Hagerstown, Maryland.

Warren Tracey beendete seine Karriere als Baseballspieler mit vierundsechzig Wins und vierundachtzig Losses und einem Earned Run Average von insgesamt 5.85. In sechzehn Spielzeiten hatte er für die Pittsburgh Pirates, die San Francisco Giants, die Cleveland Indians, die Kansas City Royals, die Houston Astros und die New York Mets gepitcht und länger für Mannschaften in der Minor League als für solche in der Major League gespielt. Die drei Jahre für die Mets waren seine längste Zeit bei einem Klub gewesen, doch er wurde mindestens viermal in die AAA-Mannschaft degradiert. Er warf vierhundertdreißig Strikeouts und ließ vierhundertsechzehn Walks zu. Sein Name steht nur deshalb im Rekordbuch, weil er

1972 den League-Rekord in der Kategorie Hit Bats-men aufgestellt hatte. Er war nirgendwo zufrieden, und wenn er einmal nicht verkauft wurde, bestand er darauf, verkauft zu werden. Keine besonders heraus-ragende Karriere, doch Baseballfans wissen, dass es von zehn Spielern, die einen Vertrag bei der Minor-League-Mannschaft unterschreiben, es nur einer zu einem Spiel in einer Major League bringt. Als ich sehr jung und leicht zu beeindrucken war, war ich stolz darauf, dass mein Vater in einer Major League spiel-te. Das konnte kein anderes Kind in meiner Straße von sich behaupten. Doch während ich älter wurde, wünschte ich mir oft, einen »normalen« Vater zu haben, einen, dem es Spaß machte, seinem Sohn im Garten Bälle zuzuwerfen und mit ihm zu üben.

In seiner Zeit bei den Mets reiste mein Vater immer schon Anfang Januar zum Spring Training, lange be-vor er offiziell dort antreten musste. Dafür hatte er verschiedene Ausreden parat, doch in Wirklichkeit wollte er nur von zu Hause wegkommen, um jeden Tag Golf zu spielen, auf Sauftour zu gehen und mit irgendeiner Freundin um die Häuser zu ziehen. Jill und mir war es egal, welche Ausrede er benutzte. Wir waren froh, wenn er wieder unterwegs war.

Nach einem Jahr in Hagerstown erfuhren wir von unserer Mutter, dass unser Vater in Florida wieder ge-heiratet hatte. Für Jill und mich war das eine Schre-ckensnachricht, da er und seine neue Frau vielleicht auf die Idee kamen, eine Familie zu gründen.

Auf dem Flug von Dallas nach Memphis schlage ich mein altes Scrapbook über Joe Castle auf. Es ist voll mit Zeitungsausschnitten, Artikeln aus Magazinen, der Ausgabe der *Sports Illustrated* vom 6. August mit Joe auf dem Titel und der Errungenschaft, die ich in diesem denkwürdigen Sommer 1973 am meisten geschätzt hatte: ein großes Schwarz-Weiß-Foto seines jungen, lächelnden Gesichts. An den unteren Rand hatte er mit Großbuchstaben die Worte »Für Paul Tracey, alles Gute« und sein Autogramm geschrieben. Als Junge hatte ich eine ganze Sammlung. Meine Freunde und ich schrieben an Hunderte von Profispielern und baten um Autogrammkarten. Hin und wieder antwortete einer, und wenn wir per Post ein Foto mit Autogramm bekamen, platzten wir fast vor Stolz. Mein Vater erhielt auch ein paar dieser Briefe, doch er war viel zu wichtig, um den Absendern einen Gefallen zu gewähren. Ständig beschwerte er sich über die Fans, die Autogramme von ihm wollten.

Meine Scrapbooks versteckte ich vor meinem Vater. Seinem verdrehten Empfinden nach war er der einzige Spieler, der meine Bewunderung verdiente.

Nachdem ich mit Baseballspielen aufgehört hatte, bewahrte meine Mutter sämtliche Fanartikel heimlich auf dem Dachboden auf. Nach meiner Hochzeit gab sie mir die Sachen zurück – zwei Kartons voll. Zuerst wollte ich sie verbrennen, doch Sara hielt mich davon ab. Ich habe die Sachen immer noch.

Ich bin noch nie im August in Memphis gewesen, und als ich das Terminal des Flughafens verlasse, kann ich kaum atmen. Die Luft ist heiß und schwül, und innerhalb weniger Minuten habe ich mein Hemd durchgeschwitzt. Ich nehme den Shuttlebus zu Avis, hole meinen Mietwagen, schalte die Klimaanlage auf die höchste Stufe und fahre nach Westen, über den Mississippi, zu den flachen Feldern des Arkansas-Delta.

Bis nach Calico Rock sind es vier Stunden.

4

Am 13. Juli 1973 stand auf der ersten Seite des Sportteils der *Chicago Tribune* die fett gedruckte Schlagzeile
»Vier Hits in vier At Bats«. Dazu ein großes Schwarz-
Weiß-Foto von Joe Castle und drei verschiedene Artikel über sein historisches erstes Spiel. Die ganze
Stadt war begeistert von »dem Jungen«. Nach Jahren der Enttäuschungen hatten die Fans der Cubs
endlich einmal Grund zu feiern.

Joe schlief lange in seinem Hotelzimmer, und
nachdem er per R-Gespräch seine Eltern angerufen
und eine Stunde lang mit ihnen und seinen Brüdern
geredet hatte, frühstückte er ausgiebig mit Don Kessinger und Rick Monday. Später rief er seine Mannschaftskameraden in Midland an. Zahlreiche Reporter suchten nach ihm, doch er hatte bereits genug
von ihrer Aufdringlichkeit. Um sechzehn Uhr stieg er
in den Mannschaftsbus und fuhr wieder ins Veterans
Stadium. In der Kabine kam Whitey Lockman zu
ihm und sagte: »Du schlägst heute als Dritter. Ver-

massele es nicht.« Zwei Stunden vor dem Spiel ging Joe auf das Feld, machte ein paar Dehnübungen und wärmte sich auf. Dann fing er hundert Ground Balls an der ersten Base. Es schien, als wäre die Zeit stehen geblieben. Er konnte es gar nicht erwarten, dass das Spiel losging.

Als er in der ersten Hälfte des ersten Innings bei zwei Outs an die Plate trat, waren fünfundvierzigtausend Fans der Phillies im Stadion. Dazu kamen Millionen Fans der Cubs, die vor Fernsehern und Radiogeräten saßen. Bei einem Count von zwei Balls schlug er einen Double ins Right-Field-Eck. Fünf Hits in fünf At Bats. In der ersten Hälfte des dritten Innings schlug er bei geladenen Bases einen Single ins Right Field und erzielte zwei Runs. Sechs in sechs. Im fünften Inning schickte er bei leeren Bases, zwei Outs und dem Infield hinten von rechts einen Bunt zur dritten Base. Als Mike Schmidt den Ball mit der bloßen Hand aufnahm, sprintete Joe an der ersten Base vorbei, und es gab keinen Wurf. Sieben in sieben. Im siebten Inning schlug er einen Fastball ins Left Center Field, der am oberen Rand der Anzeigetafel abprallte, und als er die Bases daraufhin etwas langsamer umrundete, brachte ihm das verhaltenen, aber langen Applaus von den Fans der Phillies ein.

Acht in acht.

Mit zwei Outs in der ersten Hälfte des neunten Innings und den Cubs mit 12 : 2 in komfortabler Führung, schlug Joe von links. Er hatte jetzt zwei Singles, einen Double und einen Home Run, und viele der

Zuschauer im Stadion und der unzähligen Fans, die an Fernseh- und Radiogeräten mitfieberten, hofften auf ein Triple. Die Stadionsprecher Vince Lloyd und Lou Boudreau bettelten geradezu darum. Einen Cycle zu schlagen – Single, Double, Triple, Home Run – war im Baseball sehr selten. Es passierte im Schnitt ganze drei Mal in einer Saison, aber da Joe gerade dabei war, sämtliche Rekorde zu brechen, sollte ihm doch auch ein Cycle gelingen. Stattdessen schlug er zehn Pitches nacheinander aus dem Feld, machte mit drei Balls und zwei Strikes seinen Count voll und legte dann einen der längsten Home Runs in der Geschichte des Veterans Stadium hin. Als er an der dritten Base vorbeilief, sagte Mike Schmidt: »Der Junge spielt gar nicht mal so schlecht.«

Neun in neun, mit fünf Home Runs.

Durch die Straßen der North Side von Chicago brandete tosender Jubel.

Nach dem Spiel der Scrappers, das unsere letzte Begegnung in der regulären Saison war, traf sich die gesamte Mannschaft bei Tom Sabbatini. Mr. Sabbatini hatte den Grill im Garten angeworfen – Hotdogs und Cheeseburger –, und die meisten Eltern waren ebenfalls gekommen, darunter auch meine Mutter. Mein Vater pitchte an jenem Abend in Atlanta, doch dieses Spiel interessierte uns nicht. Mr. Sabbatini holte ein beeindruckend großes Radio aus dem Haus, und wir hörten WCAU, der aus Philadelphia sendete. Damals war es nichts Ungewöhnliches, mit einem kleinen

Transistorradio nach Spielen in New York, Philadelphia, Boston, ja sogar Montreal und Baltimore zu suchen. Nachts brachte ich oft Stunden in meinem Zimmer damit zu, die verschiedenen Spiele zu verfolgen.

Jedes Mal wenn Joe Castle an die Plate trat, geriet die Party ins Stocken, denn wir drängten uns alle um das Radio. Der Kommentator der Phillies war Harry Kalas, der immer aufgeregter klang, je mehr das Spiel fortschritt, obwohl seine Mannschaft klar am Verlieren war. Bei jedem Hit von Joe – und ganz besonders bei den beiden Home Runs – brüllten und hüpften wir herum, als wären wir schon unser ganzes Leben lang Fans der Cubs gewesen. »Ich glaube, uns hören heute Abend viele Fans der Cubs zu, vor allem in der kleinen Stadt Calico Rock in Arkansas«, sagte Harry einmal.

Als Joe im neunten Inning am Schlag war, waren wir so nervös, dass wir auf den Zehenspitzen auf und ab wippten. Nach jedem Foul Ball holten wir tief Luft und beugten uns noch etwas mehr über das Radio. »Zwei Strikes für Castle«, sagte Harry. Wir hörten das trockene Klacken des Schlägers, und dann beschrieb Harry mit den für ihn typischen Worten, was gerade geschah: »Pitch … Line Drive … dieser Ball ist … draußen! In der oberen Tribüne … Mike Schmidt lässt grüßen … Greg Luzinski lässt grüßen … Fünf in fünf … Neun in neun. Unglaublich, das ist einfach unglaublich.«

Hier wurde Geschichte geschrieben, und obwohl

wir erst elf Jahre alt waren und gar nicht im Stadion saßen, fühlten wir uns, als wären wir ein Teil davon. Wir hatten uns bereits den Spielplan angesehen und wussten, dass die Cubs erst Ende August wieder im Shea Stadium spielten. Meine Freunde ließen bei ihren Eltern schon anklingen, dass sie dringend Karten für das Spiel brauchten.

Nach drei Spielen in Philadelphia und weiteren zehn in anderen Städten fuhren die Cubs nach Hause. »Im Wrigley-Field-Stadion wird Joe Castle morgen Nachmittag mit Sicherheit einen triumphalen Empfang bereiten. Da wäre ich gern dabei«, sagte Harry Kalas, als er sich verabschiedete.

Die Cubs flogen um Mitternacht in Philadelphia ab und kamen zwei Stunden später am Flughafen O'Hare in Chicago an. Als die Mannschaft einen Bus bestieg, um in die Stadt zu fahren, bekam Joe Castle den ersten Vorgeschmack darauf, wie es war, berühmt zu sein. Mehrere Dutzend Fans der Cubs warteten hinter einem Maschendrahtzaun, um einen Blick auf ihren neuen Star zu erhaschen. Er ging zu ihnen hinüber, schüttelte ein paar Hände, bedankte sich dafür, dass sie zu so später Stunde gekommen waren, und rannte wieder zum Bus. Seine Mannschaftskollegen, die ins Bett wollten, warteten schon, freuten sich aber mit ihm. Für Joe wurde ein Hotelzimmer unter falschem Namen gebucht, und um drei Uhr morgens schlief er endlich ein.

Kurze Zeit später brachen seine Eltern und seine

beiden Brüder aus Calico Rock auf und machten sich auf die lange Fahrt nach Chicago. Am Samstag um vierzehn Uhr spielten die Cubs gegen die Giants, und nur ein plötzlicher Todesfall in der Familie hätte sie daran hindern können, im Wrigley Field dabei zu sein.

Kabelfernsehen sollte erst einige Jahre später aufkommen, und die einzigen Spiele, die landesweit im Fernsehen übertragen wurden, waren die World Series, das All-Star Game und das Spiel der Woche von NBC am Samstagnachmittag mit Curt Gowdy und Tony Kubek als Kommentatoren. Am 14. Juli sollte das Spiel im Tiger Stadium von Detroit mit den Oakland Athletics als Gast ausgestrahlt werden. Bei Tagesanbruch wurde NBC zusammen mit dem Rest der Baseballfangemeinde klar, was für eine unwiderstehliche Geschichte Joe Castle mit seinem grandiosen Debüt in Philadelphia war. Plötzlich war die Partie Cubs gegen Giants das wichtigste Spiel des Tages; kein anderes Spiel hatte auch nur annähernd so viel Zugkraft. Jeder Baseballfan in Nordamerika würde nach Neuigkeiten vom Wrigley Field lechzen.

In Detroit regnete es, zwar nicht sehr stark, aber es war feucht, und bei Tagesanbruch traf NBC eine kontroverse Entscheidung, die noch lange in Erinnerung blieb: Als Spitzenspiel der Woche sollte die Begegnung in Chicago übertragen werden. Die Tigers und die Oakland A's protestierten danach ein paar Wochen lang, doch niemand hörte ihnen zu. Im Juli

1973 war Joe Castle der Star im Major-League-Baseball, und NBC sollte seine Entscheidung nie bereuen. Das Wagnis zahlte sich aus; es wurde ein weiteres historisches Spiel.

In Detroit holte man Curt Gowdy und Tony Kubek aus dem Bett und setzte sie in ein Flugzeug nach Chicago, wo NBC in aller Eile ein Produktionsteam zusammenstellte und genügend Kameras im Stadion postierte. Außerdem beteten die Verantwortlichen des Sendernetzes um einen klaren Himmel. Am Vormittag war das Wetter in Detroit besser als in Chicago; und als die Tigers um vierzehn Uhr mit dem Spiel begannen, stand keine einzige Wolke am Himmel. Gowdy und Kubek gaben später zu, dass sie vom Wechsel des Übertragungsortes begeistert waren, wegen der spannungsgeladenen Atmosphäre im Wrigley Field.

1957 spielte Kubek, der langjährige Shortstop der New York Yankees, gegen einen gewissen Walt Dropo, besser bekannt als »Moose«, da er eins fünfundneunzig groß und hundert Kilo schwer war. 1950 war Dropo der »American League Rookie of the Year« gewesen, doch bald schon brachten zahlreiche Verletzungen seine vielversprechende Karriere ins Stocken. Während der nächsten elf Spielzeiten war er bei mehreren Teams der American League unter Vertrag und hatte einen Trefferdurchschnitt von .270 mit einhundertzweiundfünfzig Home Runs – ansehnliche Zahlen, aber nichts, was einem im Gedächtnis blieb. Im Juli 1952 jedoch, während er für Detroit

gegen die Yankees spielte, erzielte er in zwölf auf-
einanderfolgenden At Bats zwölf Hits, ohne einen einzigen Walk. Es war eine erstaunliche Leistung, ein
Rekord, der von vielen Experten für unschlagbar ge-
halten wurde.

Plötzlich fand Moose Dropos vergessene Karriere
wieder Beachtung. Die Samstagsausgabe der *Chicago
Sun-Times* brachte ein altes Foto von Dropo, direkt
neben einem neuen von Joe Castle, und darunter
stand in fett gedruckten Buchstaben: »Zwölf nacheinander?« Im Sportteil der *Tribune* sprang einem die
Schlagzeile »Neun in neun!« entgegen.

Das Wrigley Field war 1914 gebaut worden, und
nach diversen Erweiterungen im Laufe der Jahre er-
höhte sich die Anzahl der Sitzplätze auf einundvierzigtausend. In der vorangegangenen Saison, 1972,
waren im Schnitt 16 600 Fans bei einem Heimspiel im
Stadion gewesen. 1973 kamen bis zur Verpflichtung
von Joe Castle etwa 16 800 Besucher. Am Samstag
um zehn Uhr vormittags drängten sich bereits dichte
Menschentrauben um die Kassenhäuschen am Wrigley Field. Entlang der Addison Street bildeten sich
lange Warteschlangen. Auf den Dächern hinter dem
Left Field wurde bereits gefeiert. Wrigleyville war
voller Leben, und im Verlauf des Vormittags begann
es zu brodeln. Jeder versuchte verzweifelt, noch eine
Eintrittskarte zu ergattern.

Ein Zeugwart der Cubs holte Joe vom Hotel ab und
schmuggelte ihn durch einen versteckten Lieferan-
teneingang unter die offenen Tribüne des Right Field

ins Stadion. Als Joe seinen ersten Schritt auf den Rasen des Wrigley Field machte, war es kurz nach elf Uhr. Er hatte keine drei Stunden geschlafen, weil an Nachtruhe nicht zu denken gewesen war. Die Tore waren bereits geöffnet, und die Tribünen füllten sich schnell. Da Joe noch Straßenkleidung trug, erkannte ihn niemand. In der Nähe des Dugout der Heimmannschaft stellte er sich einigen der Platzwarte vor und lehnte höflich die Bitte eines Reporters um ein Interview ab. In der Kabine der Cubs zog er sich um und bewunderte dabei seinen neuen Spind. Dann wurde ein leichtes Mittagessen serviert. Joe aß gerade mit Don Kessinger ein Sandwich, als einer der Trainer zu ihm sagte: »Hey, Joe, deine Eltern sind hier.«

In dem engen Korridor vor der Kabine umarmte Joe seine Mutter, seinen Vater und seine Brüder, Red und Charlie. Alle fünf befanden sich in unterschiedlichen Stadien der Fassungslosigkeit, und Joe war vielleicht derjenige, der am ruhigsten war. »Ist doch nur Baseball«, sagte er. »Irgendwann machen sie mich bestimmt out.«

Red hatte einen Rat für ihn, was keine Überraschung war. »Einfach schwingen. Und wenn der Pitch auf den Körper kommt, gehst du kein Risiko ein.«

»Es wird eine Menge Breaking Balls geben. Keine Fastballs mehr. Immer schön hinten bleiben«, fügte Charlie hinzu.

»Ja, ja«, erwiderte Joe lachend, dann nahm er

seine Familie mit in die Kabine und zeigte ihnen alles. Sie waren überwältigt und bewegten sich wie Schlafwandler durch dieses Abenteuer, von dem sie seit Jahren geträumt hatten.

Die Giants lagen in der Western Division fünf Spiele hinter den Dodgers. Willie Mays war nicht mehr da; genau genommen vertrödelte er den kläglichen Rest seiner Karriere bei den Mets. Doch die Giants hatten immer noch Willie McCovey und Bobby Bonds, und ihr Record war am 14. Juli etwas besser als der der Cubs. Ihr erster Pitcher war Ray Hiller, ein Linkshänder mit sechs Wins und sieben Losses.

Um vierzehn Uhr saßen mindestens einundvierzigtausend Fans der Cubs dicht gedrängt im Wrigley Field. Zahllose andere sahen von den Dächern hinter der Mauer des Left Field zu. Als in der zweiten Hälfte des ersten Innings Joe Castles Name aus den Lautsprechern schallte, ließ tosender Beifall das altehrwürdige Stadion erzittern und die Stimmen von Curt Gowdy und Tony Kubek untergehen.

Hillers Spezialität waren Junkballs, und seine Fastballs erreichten nur selten einmal einhundertdreißig Stundenkilometer. Er warf zwei harmlose Curveballs, und Joe widerstand der Versuchung, einfach draufloszuschlagen. Hillers dritter Pitch war eine Kombination aus Knuckle- und Curveball, der zu hoch und außerhalb der Strike Zone kam. Beim Count von 3 und 0 bekam Joe das Zeichen zum Schlagen. Hiller warf einen Slider, der nicht allzu sehr ausbrach, und

Joe schwang mit aller Kraft seinen Schläger. Der Ball stieg zuerst langsam in die Höhe, wurde dann aber immer schneller. Bald gab es keinen Zweifel mehr daran, dass Joe einen Home Run geschlagen hatte, doch die Frage war: Wo würde der Ball landen? Gary Matthews, der Left Fielder, trat zwei Schritte zurück, dann blieb er stehen, drehte sich um, stemmte die Hände in die Hüften und verfolgte die Flugbahn. Der Ball prallte schließlich im vierten Stock eines Gebäudes an der Fassade ab, fast einhundertfünfzig Meter von der Home Plate entfernt. Vielleicht war Joe müde von den vielen Home Runs, oder er lernte langsam, den Moment zu genießen – egal, woran es lag, dieses Mal lief er jedenfalls erheblich langsamer als sonst um die Bases, aber nicht so langsam, dass er dadurch den Pitcher verärgerte. »Lass den Pitcher niemals dumm aussehen«, hatten ihm Red und Charlie immer wieder eingebläut, beim ersten Mal war er zehn Jahre alt gewesen.

Das Wrigley Field hatte noch nie solche Begeisterungsstürme erlebt. Die Standing Ovations hielten so lange an, bis Joe einen Schritt aus dem Dugout heraustrat, die Hand zum Helm führte und sich bei der Menge bedankte. Dann warf er seiner Mutter, die in der Owner's Box in der zweiten Reihe saß, eine Kusshand zu.

Zehn in zehn, mit sechs Home Runs.

In der zweiten Hälfte des dritten Innings war Joe bei einem Spielstand von 1:1 wieder am Schlag. Beim ersten Pitch deutete er einen Bunt an, und das gesamte Infield der Giants reagierte reflexartig. Ed Goodson an der dritten Base und der Shortstop Chris Speier setzten sich schon vor dem Pitch in Bewegung, da sie mit einem Line Shot von einem erstaunlich schnellen Schläger rechneten. Dann rannten sie nach vorn. Tino Fuentes tat das Gleiche, während McCovey an der ersten Base zu trippeln begann. Nachdem Hiller geworfen hatte, richtete er sich blitzschnell auf, als hätte er Angst vor einem Bunt. Offenbar hatte man die Scouts der Giants über Joes Bunting-Fähigkeiten aufgeklärt. Erster Ball für den Pitcher. Bei seinem nächsten Fastball mied Hiller die Mitte der Plate, stattdessen pitchte er außen und hoffte das Beste. Der zweite Pitch war ebenfalls ein Fastball, der mehr als zehn Zentimeter außerhalb lag. Joe wartete und wartete, dann ging er den Ball an und schlug einen Single ins Right Field.

Elf in elf.

Vielleicht war es die Faszination mitzuerleben, wie Geschichte geschrieben wurde, vielleicht lag es auch an dem Himmel, der sich langsam aufklärte, und an der Sonne und dem Bier oder an der Begeisterung, die in einem voll besetzten Baseballstadion immer zu spüren ist, vermutlich war es aber die Kombination all dieser Faktoren – jedenfalls herrschte im Wrigley Field eine elektrisierte Stimmung. Inzwischen wurde Joe mit tosendem Applaus begrüßt, wenn er in den On-Deck-Circle trat, dann brandete erneut Beifall auf, wenn er an die Plate trat, und bei jedem Hit wurde der Jubel größer.

Er führte die Hand zum Helm und grüßte die Menge, dann löste er sich einige Schritte von der ersten Base.

Sein zwölfter Schlagdurchgang begann in der zweiten Hälfte des sechsten Innings, als die Cubs 3:2 führten. Die einundvierzigtausend Fans standen auf, um zu applaudieren, und setzten sich nicht wieder hin. Curt Gowdy, der das Spiel im Fernsehen kommentierte, gestand, dass er ein flaues Gefühl im Magen hatte. Für Vince Lloyd, den Radiokommentator, war es der dramatischste Moment in einem Baseballspiel, an den er sich erinnern konnte. Und dem Stadionsprecher Lou Boudreau hatte es die Sprache verschlagen.

Hiller hatte es aufgegeben, Fastballs zu pitchen. Er versuchte es mit langen, weiten Curveballs, Changeups und einer tückischen Kombination aus einem Slider und einem Curveball, die Slurve genannt wird. Joe schlug die ersten beiden Pitches, die beide Balls waren, aus dem Feld hinaus und fluchte im Stillen, weil er schlechte Würfe angegangen war. Dann nahm er die Füße enger zusammen, fasste den Schläger kürzer und schlug einen Ball hoch. Der vierte Pitch war ein langsamer, abfallender Curveball, ein Pitch, der auf Kniehöhe oder auch fünfzehn Zentimeter darunter über die Plate fliegen konnte, und Joe ging kein Risiko ein. Er schmetterte den Ball auf die Home Plate – ein Fair Ball. Der Ball prallte ab und stieg hoch in die Luft in Richtung der dritten Base, wo Goodson wartete und wartete. Als er den Ball schließlich fing, war Joe schon an der ersten Base vorbei und hatte seinen zwölften Hit in Folge erzielt. Der Rekord von Moose Dropo war gebrochen.

Wieder grüßte er die jubelnde Menge, indem er die Hand an den Helm führte. Willie McCovey von den Giants klopfte ihm mit dem Handschuh auf den Hintern und sagte: »Herzlichen Glückwunsch.« Joe brachte nur ein Lächeln und ein Nicken zustande. Er konnte es einfach nicht fassen. Es war nur wenige Jahre her, dass seine Baseballkartensammlung eine All-Star-Auswahl mit Willie McCovey und Willie Mays enthalten hatte.

In der ersten Hälfte des achten Innings schlug McCovey einen 2-Run-Home-Run, der über die obere Tribüne des Right Field hinwegsegelte und vermutlich nie gefunden wurde. Die Giants führten 5 : 3, als die Cubs in der zweiten Hälfte des Innings wieder am Schlag waren.

Der Spielstand war eine Sache, doch die Mehrheit der Fans war nicht nur gekommen, um das Spiel zu sehen. Es war ein seltener Moment zum Feiern. Die Cubs hatten seit 1908 keine World Series mehr gewonnen. Zwar hatte es einige denkwürdige Momente gegeben – die Mannschaft von 1945 musste die Series nach sieben Spielen an Detroit abgeben –, doch das war in den »Kriegsjahren« gewesen, als die guten Spieler bei der Armee waren. Einige Spieler der Cubs waren in die Hall of Fame aufgenommen worden, beispielsweise Hack Wilson, der in den 1920ern gespielt hatte, und Ernie Banks, der in den 1950ern und 1960ern aktiv gewesen war. Im Großen und Ganzen waren die Fans der Cubs Enttäuschungen gewohnt. Sie hielten ihrer Mannschaft unerschütterlich die Treue, hofften aber mit Inbrunst auf eine Mannschaft oder einen Spieler, der besser war als der Rest.

Allein schon wegen der ersten zwölf Hits war Joes dreizehnter Durchgang etwas Besonderes, doch ein Runner auf jeder Base, zwei Outs und ein Rückstand von zwei Runs ließen die Spannung auf dem Feld ins Unerträgliche steigen. Die Zuschauer standen auf den Rängen, brüllten, und einige beteten sogar. Hiller war von einen Rechtshänder namens Bobby Lund abgelöst worden, einem erfahrenen Reliever, der ausgesprochen schnelle Pitches warf. Joe sollte später zugeben, dass er lieber von der linken Seite schwang, weil er die Fastballs dann etwas schneller schlagen konnte. Er hatte kein Problem damit, Bälle aus dem Feld zu schlagen und den Count vollzumachen, doch bei diesem dreizehnten und möglicherweise wichtigsten At Bat in seiner noch jungen Karriere beschloss er, ungeduldig zu sein. Den ersten Pitch, einen hohen Fastball, ließ er durch, und nachdem er Lund hatte werfen sehen, war alles klar. Der zweite Pitch war wieder ein Fastball, der vielleicht drei Zentimeter außerhalb lag, doch immer noch nah genug, um ihn zu schlagen. Joe hämmerte einen Scorcher ins Right Center Field, eine Granate, die Tito Fuentes im Sprung zu fangen versuchte, aber völlig verfehlte. Der Ball flog in drei Metern Höhe weiter und donnerte dann in den Efeu an der Outfield-Begrenzung, wo er nach dem Aufprall von Bobby Bonds gefangen und zur Home Plate geworfen wurde. Bei zwei Outs hatten die Runner die Bases verlassen, sobald der Schläger den Ball getroffen hatte, und Joes Double leerte die Bases.

Als er unbehelligt in die zweite Base rutschte, hatte er den Rekord gebrochen, jenen Rekord, der als »unschlagbar« gegolten hatte. Joe stand auf der zweiten, hatte die Hände auf die Knie gestützt und brauchte einige Sekunden, bis er das Ganze begriffen hatte und den Moment genießen konnte. Das Stadion kochte über, der Lärm war ohrenbetäubend.

Der Catcher der Giants, Dave Rader, war in Ballbesitz, und als sich der Jubel etwas gelegt hatte, bat er um eine Spielunterbrechung. Langsam ging er am Wurfhügel vorbei zur zweiten Base und überreichte Joe Castle feierlich den Ball. Angesichts dieser denkwürdigen sportlichen Geste wurde der Jubel der Menge wieder lauter.

Joe nahm den Helm ab und bedankte sich für den Applaus. Die Schiedsrichter hatten keine Eile, das Spiel wieder aufzunehmen. Sie erlebten gerade mit, wie Geschichte geschrieben wurde, und Baseball wird ohne Uhr gespielt. Schließlich ging Joe zu den Sitzen neben dem Dugout der Cubs und warf den Ball seinem Vater zu. Dann lief er wieder zur zweiten Base und setzte seinen Helm auf. Er starrte ins Center Field und wischte sich schnell eine Träne von der Wange. Eine Kamera hatte den Moment eingefangen, und

Curt Gowdy und Tony Kubek sorgten dafür, dass alle Welt sehen konnte, dass Joe Castle, der allein an der zweiten Base und allein im Rekordbuch stand und jetzt als lebende Legende galt, Mensch genug war, Gefühle zu zeigen.

5

Nach einer Stunde auf den ebenen, zweispurigen Highways im Nordwesten von Arkansas bekomme ich gewaltigen Hunger. Vor Parkin lenke ich das Auto auf den Kiesparkplatz einer Grillbude und hoffe das Beste. Um zu vermeiden, dass mich jemand anspricht, nehme ich einen Teil meines Scrapbooks mit, in dem ich beim Essen lesen will. Nachdem ich mir ein Sandwich mit Pulled Pork und ein Root Beer geholt habe, blättere ich durch Seiten mit Zeitungsartikeln, die ich seit Jahrzehnten nicht mehr angesehen habe.

Sobald Joe in einer Major League spielte, ging ich regelmäßig in die Bücherei von White Plains, um Artikel aus den Chicagoer Zeitungen zu sammeln. Mit einem riesigen Kopierer, der in der Nähe des Zeitungssaals stand, kopierte ich die Artikel, was immer fünf Cent kostete. Die Sonntagsausgaben der *Sun-Times* und der *Tribune* vom 15. Juli waren mit Artikeln und Fotos des historischen Spiels am Samstag vollgepackt. Nach dem Spiel war Joe ausführlich interviewt worden, und es war klar, dass er es in vollen Zügen genoss. Unter den vielen denkwürdigen Zitaten waren unter anderem folgende:

»Wenn ich im Line-up bleibe, erreiche ich vermutlich einen Trefferdurchschnitt von .750 für die Saison.«

Und: »Ja, klar, wir haben noch vierundsiebzig Spiele vor uns. Ein Home Run pro Spiel ist durchaus realistisch.«

Und: »Irgendwann machen sie mich bestimmt out.«

Und: »Der Klassensieg? Den haben wir doch schon in der Tasche. Jetzt geht es um die World Series. Ich will gegen die Besten spielen.«

Es war klar, dass Joe Spaß daran fand, mit den Vertretern der Presse herumzualbern, und vieles von dem, was er sagte, war augenzwinkernd gemeint. Die Chicagoer Baseballreporter, die als schwierig galten, waren hin und weg und beschrieben ihn als »rotzfrech, aber kein bisschen arrogant« und »manchmal sichtlich überwältigt von dem, was er zustande gebracht hat«. Seine Mannschaftskameraden waren fassungslos, aber realistisch. »Er wird sich schon wieder beruhigen, aber das wird hoffentlich noch ein paar Wochen dauern. Wir haben vier Spiele in Folge gewonnen, und das ist alles, was zählt.« Als Whitey Lockman gefragt wurde, ob er Joe im Line-up behalten wolle, erwiderte dieser: »Was? Wollen Sie mich auf den Arm nehmen?«

Die Fotos, die nach dem Spiel gemacht wurden,

zeigten einen Jungen, der keinen Tag älter als einundzwanzig wirkte und vor Freude strahlte. Er sah
gut aus, mit tief liegenden blauen Augen und locki-
gen, strohblonden Haaren – die Art von Aussehen,
die ihn für Frauen schon bald unwiderstehlich machen sollte. Er war nicht verheiratet, und einem der
Artikel zufolge gab es keine Frau in seinem Leben.

Alle waren dabei, sich in Joe Castle zu verlieben.

Ich hatte das Spiel mit meiner Mutter zusammen bei
uns zu Hause gesehen und mich danach mit Tom
Sabbatini und Jamie Brooks auf einem unbebauten
Grundstück getroffen, wo wir uns gegenseitig den
Ball zuwarfen und die ganze Zeit über Joe redeten.
Wir wechselten uns ab und spielten sämtliche At Bats
von ihm nach. Und an diesem herrlichen Sommer-
nachmittag gab es nicht den leisesten Zweifel daran,
dass eines Tages jeder von uns etwas so Dramatisches
wie Joe Castle vollbringen würde. Es war völlig klar,
dass wir alle Baseball-Profis werden würden, die
Frage war nur, für welche Mannschaft. Natürlich beschlossen wir, dass wir für die Cubs spielen würden,
alle drei, und das für lange Zeit.

Ich aß gerade mit meiner Mutter und Jill zu Abend,
als das Telefon klingelte. Es war mein Coach, der mir
mitteilte, dass am Morgen die Auswahl für das All-
Star-Team der Little League stattgefunden habe und
ich in den aus zwölf Spielern bestehenden Kader
aufgenommen worden sei, als einziger Elfjähriger.
Natürlich hatte ich davon geträumt, mir aber immer

gesagt, dass ich keine Chance hatte. Ich war völlig aus dem Häuschen, und nachdem ich mit überschlagender Stimme meiner Mom und Jill davon erzählt hatte, wollte ich es auch unbedingt meinem Vater sagen. Doch er war mit den Mets in Atlanta und stand gerade im Stadion, wo um neunzehn Uhr sein Spiel beginnen sollte. Ich wusste, dass er hinterher nicht bei uns anrufen würde. Meine Mutter meinte, ich solle bis zum späten Sonntagmorgen warten und dann versuchen, ihn im Hotel zu erreichen.

Nachdem ich das Sandwich aufgegessen habe, nehme ich mein Scrapbook, bezahle und setze die Fahrt fort. Bald verlasse ich die Reis- und Bohnenfelder, die Landschaft wird immer hügeliger, und schließlich bin ich in den Ozark Mountains, die eigentlich kein Gebirge, sondern eher etwas größer geratene Hügel sind. In Batesville, dem Geburtsort von Rick Monday, überquere ich den White River und folge ihm nach Norden, durch Mountain View bis in den Ozark National Forest. Es ist eine schöne Fahrt auf dem Highway 5, einer schmalen, kurvenreichen Straße, die im Oktober vermutlich ein gutes Postkartenmotiv abgeben würde, doch wir haben August, und das Gras ist braun und verdorrt.

Soviel ich weiß, lebt Joe Castle noch immer in Calico Rock. Nach dem Ende seiner kurzen Karriere kehrte er in seinen Geburtsort zurück und verschwand von der Bildfläche. Es gab noch ein paar Artikel in den Zeitungen über ihn, doch nach einiger

Zeit vergaßen ihn die Journalisten, da der Kontakt zu ihm abgerissen war. 1977 hat ein Reporter, der für die *Sports Illustrated* schrieb, noch einen Versuch unternommen. Aber die Einwohner der Stadt waren verschwiegen, und es drangen so gut wie keine Informationen nach außen. Der Reporter konnte Joe nicht finden und wurde schließlich von dessen Bruder Red gebeten, die Stadt zu verlassen.

Als ich in Calico Rock ankomme, sage ich mir zum hundertsten Mal, dass es eine dumme Idee ist. Das, was ich vorhabe, ist von vornherein zum Scheitern verurteilt und könnte sogar gefährlich werden.

Calico Rock ist ein hübscher Ort am White River. In der Nähe der Brücke sind zahlreiche Holzdecks zum Forellenfischen angelegt worden, der Fluss ist ein beliebter Ort zum Angeln. Ich parke vor den Geschäften in der Main Street und frage mich kurz, wie es hier vor dreißig Jahren ausgesehen hat, als Joes Freunde und Familie sich versammelt hatten, um Vince Lloyd und Lou Boudreau zuzuhören, die in jenem magischen Sommer die Spiele kommentierten. Fast kann ich das Entsetzen angesichts von Joes Zusammenbruch spüren.

Ich suche einen Mann namens Clarence Rook, den Eigentümer und Herausgeber des *Calico Rock Record*, einer kleinen Wochenzeitung, die seit einem halben Jahrhundert über die Ereignisse in der kleinen Stadt berichtet. Mr. Rook ist schon fast genauso lange bei der Zeitung, und wenn er mir nicht helfen will, habe ich keinen anderen Plan. Die Redaktion ist in der Main Street, drei Häuser neben dem Evans Drug Store. Ich hole tief Luft und gehe hinein. Eine junge Sekretärin in Jeans begrüßt mich mit einem strahlenden Lächeln und einem freundlichen Hallo.

»Ich suche Clarence Rook.« Diesen ersten Satz habe ich sorgfältig einstudiert.

»Er hat gerade ziemlich viel zu tun«, erwidert sie, immer noch lächelnd. »Kann *ich* Ihnen helfen?«

»Nein, aber trotzdem vielen Dank. Ich muss mit ihm persönlich sprechen.«

»Okay. Sagen Sie mir Ihren Namen?«

»Paul Casey. Ich bin Reporter beim *Baseball Monthly*.« Meine Lügen werden sehr bald enttarnt werden, doch die Wahrheit bringt mich jetzt nicht weiter.

»Interessant«, meint sie. »Und was führt Sie nach Calico Rock?«

»Ich arbeite an einem Artikel«, gebe ich Auskunft, wobei mir sehr wohl bewusst ist, wie vage das klingt.

»Okay.« Sie geht ein paar Schritte rückwärts. »Ich sehe mal nach, was er gerade macht.«

Die Sekretärin verschwindet im hinteren Teil der Redaktion. Ich kann Stimmen hören. An den Wänden hängen alte Ausgaben in Bilderrahmen, und ich brauche nicht lange, bis ich eine vom Juli 1973 finde. Die Schlagzeile lautet: »Joe Castle und sein dramatisches Debüt bei den Cubs«. Ich mache einen Schritt darauf zu und beginne zu lesen. Der Artikel wurde von Clarence Rook geschrieben, wie die meisten Beiträge auf der Titelseite, und aus jeder Zeile kann ich herauslesen, wie stolz er damals war.

In meinem Scrapbook klebt eine Kopie des Artikels.

»Mr. Rook hat Zeit für Sie«, informiert mich die Sekretärin mit einem Nicken in Richtung eines schmalen Korridors. »Erste Tür rechts.«

»Danke.« Ich lächle ihr zu und gehe nach hinten.

Clarence Rook sieht interessant aus – rote Wangen, weißes Hemd, rote Fliege, rote Hosenträger, schätzungsweise um die siebzig, mit einem dichten grauen Bart und einem wirren weißen Haarschopf, der an Mark Twain erinnert. Er kaut auf dem Stiel einer Pfeife herum, die seinen Mund nur selten verlässt, und sitzt an einem alten Schreibtisch aus Holz, der mit Akten- und Papierstapeln übersät ist. Auf einer Seite steht eine abgenutzte mechanische Schreibmaschine, ein Modell, das etwa von 1950 stammt und noch in Gebrauch ist.

»Mr. Casey«, begrüßt er mich mit einer hohen, lebhaften Stimme, während er mir die rechte Hand hinhält. »Clarence Rook.«

»Schön, Sie kennenzulernen. Danke, dass Sie sich einfach so Zeit für mich nehmen.« Ich schüttele seine Hand.

»Kein Problem. Nehmen Sie Platz.«

Ich setze mich auf den einzigen Stuhl, der nicht mit irgendwelchen Sachen belegt ist.

»Woher kommen Sie?«, fragt er mit einem Lä-

cheln, das seine vom Nikotin verfärbten Zähne offen-
bart.

»Santa Fe.«

»Oh, was für ein schöner Flecken Erde. Vor ein
paar Jahren sind meine Frau und ich mal in den
Westen gefahren und haben in Santa Fe angehalten,
um das O'Keeffe-Museum zu besuchen. Spektakulä-
re Landschaft. Ich hätte absolut nichts gegen einen
Umzug dorthin.«

»Ja, wir leben gern da. Aber Ihre Stadt ist auch
sehr hübsch.«

»Oh, das ist sie. Ich bin in Mountain Home geboren, das ist ganz in der Nähe, und werde wohl nicht
mehr von hier weggehen.«

»Wie lange sind Sie denn schon Eigentümer der
Zeitung?«, frage ich, um mit etwas Small Talk Zeit
zu schinden.

Mein Gesprächspartner hat offenbar nichts dagegen einzuwenden. »Ich habe sie vor zwanzig Jahren von Mrs. Meeks gekauft, die sie schon seit einer
Ewigkeit hatte. Sie hat mich eingestellt, als ich noch
ein halbes Kind war. Ich hätte nie gedacht, dass ich
mein Leben damit verbringen würde, eine Zeitung
herauszugeben, aber ich genieße jede einzelne Minute. Sie schreiben auch?«

»Nein, Sir. Ich bin weder Schriftsteller noch Reporter.«

Das Lächeln verschwindet, als er die Augen zusam-
menkneift und versucht, diese Information zu ver-
arbeiten.

»Und mein Name ist auch nicht Paul Casey. Ich heiße Paul Tracey«, fahre ich fort.

Aus einer Schublade des Schreibtischs holt Rook einen Beutel mit Tabak, stopft langsam seine Pfeife und zündet dann ein Streichholz an. Er sieht mich unverwandt an und stößt eine kleine Rauchwolke aus. »Hat man Ihnen schon mal gesagt, dass Sie Warren Tracey ähnlich sehen?«, fragt er.

»Ja, das höre ich öfter.«

»Sind Sie mit ihm verwandt?«

»Er ist mein Vater.«

Wie erwartet kommt das nicht gut an. Seit dreißig Jahren zögere ich oft, wenn ich meinen Nachnamen sage. In der Regel löse ich damit keine Reaktion aus, aber es hat genug ungemütliche Momente gegeben, um mich vorsichtig zu machen.

Er pafft eine Weile vor sich hin, während er mich anstarrt. »Es könnte durchaus passieren, dass Sie hier erschossen werden«, sagt er schließlich.

»Mr. Rook, ich bin nicht hergekommen, um mich erschießen zu lassen.«

»Und warum sind Sie dann hier?«

»Mein Vater hat Bauchspeicheldrüsenkrebs. Unheilbar. Er hat nur noch ein paar Monate zu leben.«

Noch ein Zug an der Pfeife, noch ein Rauchwolke. »Das tut mir leid«, sagt er, aber nur, um nicht unhöflich zu sein.

»Ich glaube nicht, dass es in Calico Rock jemanden gibt, der seinen Tod bedauern wird.«

Er nickt. »Da haben Sie recht. Die meisten Leute

in dieser Gegend würden Warren Tracey am liebsten auf einem Scheiterhaufen verbrennen sehen. Und zwar ganz langsam«, sagt er dann.

»Dessen bin ich mir bewusst.«

»Weiß sonst noch jemand, dass Sie hier sind?«

»Nein, Sir. Nur Sie.«

Er holt tief Luft und starrt die Tischlampe an, während er versucht, seine Gedanken zu ordnen. Auf der Uhr an der Wand ist es zehn nach fünf. Ich warte nervös. Entweder wirft er mich jetzt aus seinem Büro oder beschließt, dass wir uns noch ein wenig unterhalten. Ich tippe auf Letzteres, schließlich ist er Reporter und daher neugierig.

»Wo lebt Ihr Vater jetzt?«, fragt er.

»Florida. Er hat die Familie verlassen, als ich zwölf war, und wir hatten all die Jahre kaum Kontakt zu ihm. Wir stehen uns nicht sehr nah. Das war schon immer so.«

»Hat er Sie hergeschickt?«

»Nein. Er weiß nichts davon.«

»Darf ich fragen, was genau Sie hier wollen?«

»Ich will mit Joe Castle reden, und ich hoffe, dass Sie die Familie kennen.«

»Das tue ich, und ich kenne sie gut genug, um Ihnen sagen zu können, dass Joe nicht mit einem Fremden reden wird. Und mit dem Sohn von Warren Tracey schon mal gar nicht.«

6

Sonntag, 15. Juli 1973. Mit einundvierzigtausend fa-
natischen Fans war das Wrigley Field wieder bis auf
den letzten Platz besetzt. Vor dem Stadion hatten sich
etwa zehntausend weitere versammelt, die versuchten, an Eintrittskarten zu kommen, Bier tranken,
Radio hörten und alles unternahmen, um möglichst
nahe zu sein, wenn Baseballgeschichte geschrieben
wurde. Die Spannung wurde noch dadurch gestei-
gert, dass Juan Marichal für die Giants aufs Feld ging,
was bei einem Gastspiel sowieso schon für mehr Zuschauer sorgte. Seine beste Zeit war zwar vorbei,
doch Marichal konnte trotzdem noch jede Mannschaft besiegen. Ein Wind-up mit einem hohen Leg-
Kick, hervorragende Ballkontrolle, einschüchternde
Taktik und verbissene Zielstrebigkeit sorgten dafür,
dass Marichal immer eine Gefahr war. In den letzten
dreizehn Jahren hatte er in vielen Spielen im Wrigley
Field gepitcht und weitaus öfter gewonnen als verloren.

Er verschwendete keine Zeit. Als Joe in der zweiten Hälfte des ersten Innings an die Plate trat, rich-
tete Marichal seinen ersten Pitch direkt auf dessen
Schulter. Joe stürzte und wäre um ein Haar schwer
verletzt worden. Das Wrigley Field explodierte fast.
Aus dem Dugout der Cubs wurden Drohungen und
Flüche in Richtung des Wurfhügels geschickt, wo
Marichal den Ball in der Hand wog, lächelte und sich
seinen nächsten Pitch überlegte. Joe, der in seinem
vierten Spiel noch als Rookie galt, wusste, dass der
Moment noch nicht gekommen war, sich mit dem
Pitcher anzulegen und den Wurfhügel zu stürmen.
Dieses Recht musste er sich erst noch verdienen, was
aber nicht mehr lange dauern würde. Nicht die Ner-
ven verlieren, hatte ihm sein Bruder Red geraten. Sie
werden bald anfangen, auf dich zu werfen.

Der nächste Pitch war ein Fastball, und Joe, der
von links schwang, hämmerte den Ball an der Foul-
Linie des Right Field entlang, eine Granate, die die
Verteidigung erstarren ließ und die Zuschauer ver-
blüffte. Der Ball war eindeutig ein Foul, doch er stieg
immer höher, bis er schließlich weit in der oberen
Tribüne landete. Der Pitch war etwa fünfzehn Zentimeter außerhalb und fast einhundertfünfzig Stundenkilometer schnell gewesen, doch Joe hatte ihn
mühelos in einen Foul Ball verwandelt. Marichal
war beeindruckt. Willie McCovey an der ersten Base
machte einen Schritt nach hinten, was Joe nicht ent-
ging. Der dritte Pitch war ein Fastball, der nah auf
den Körper geworfen wurde. Joe nahm den Schlä-

ger quer und ließ den Ball abtropfen. Marichal hatte gerade gepitcht und stand nicht so, dass er den Ball fangen konnte. McCovey schätzte den Ball falsch ein. Tito Fuentes rannte los, um die erste Base zu decken, was ihm aber nicht gelang. Der Ball rollte zwölf Meter weit an der Baseline entlang und hüpfte dann leicht nach links. Als McCovey ihn aufnahm, war Joe Castle schon an der ersten Base vorbei. Vierzehn in vierzehn.

McCovey sagte kein Wort zu dem Jungen. Als die Menge sich wieder beruhigt hatte, machte sich Marichal für den nächsten Pitch bereit und sah Dave Rader an der Home Plate an. Marichal ging in seinen Stretch, machte wie immer seinen hohen Leg-Kick, und als er den Ball losließ, war Joe schon auf halbem Weg zur zweiten Base. Raders Wurf zu Fuentes war perfekt, kam aber viel zu spät. Nachdem Joe lässig in die zweite gerutscht war, sprang er auf und sah Marichal an. Dann zuckte er mit den Schultern, grinste und breitete die Arme aus, als wollte er sagen: »Du wirfst nicht ungestraft auf mich.«

Zwei Pitches später stahl Joe die dritte Base, dann punktete er bei einem Passed Ball.

In der zweiten Hälfte des vierten Innings schlug er einen Single mit einem schwachen Fly Ball ins Shallow Center Field und erzielte damit seinen fünfzehnten Hit in Folge.

Wie Joe vorausgesagt hatte, machten sie ihn schließlich out. Bei seinem sechzehnten Schlagdurchgang, in der zweiten Hälfte des siebten Innings, hämmerte er einen Ball ins Deep Center Field, und eine Sekunde lang sah es so aus, als wäre er draußen. Doch der Center Fielder, Garry Maddox, lief immer weiter zurück, bis er auf dem Warning Track war, und dann noch etwas weiter, bis er fast den Efeu berührte. Einhunderteinundzwanzig Meter von der Home Plate entfernt fing Maddox den Ball, und damit war Joes Glückssträhne vorbei.

Joe war an der zweiten Base und beobachtete Maddox. Nach dem Call des Schiedsrichters drehte Joe sich um und lief in Richtung Dugout. Die Zuschauer erhoben sich zu einem donnernden Applaus, und Joe ließ sich Zeit mit dem Verlassen des Feldes.

Nach dem Spiel gaben die Cubs bekannt, dass sein Trikot ausgetauscht wurde. Die Nummer 42 würde zurückgelegt, und für den Rest seiner kurzen Karriere trug Joe Castle die Nummer 15.

Am darauffolgenden Donnerstag begannen die Mets im Vorfeld des All-Star Game eine Serie aus vier Heimspielen gegen die Cardinals. Natürlich wusste ich ganz genau, wann mein Vater pitchte. Er würde am Donnerstagabend auf dem Wurfhügel stehen, und ich wollte unbedingt ins Shea Stadium.

Am Donnerstagnachmittag, bevor er zum Spiel aufbrach, hatten wir endlich Zeit, um über Baseball zu reden. Er war furchtbar nervös, wie immer vor einem Spiel. Die meiste Zeit über war er reserviert und zurückhaltend, doch wenn er mit Pitchen an der

Reihe war, verhielt er sich so kühl und abweisend, dass ich mich manchmal fragte, ob er mir überhaupt zuhörte. Er war vierunddreißig Jahre alt und versuchte verzweifelt, seiner schwächelnden Karriere auf die Sprünge zu helfen. Rückblickend gesehen bin ich mir sicher, dass er damals furchtbare Angst hatte, zu alt für Baseball zu werden. Die Jahre vergingen, und es stellte sich heraus, dass der große Warren Tracey doch nicht so groß war, wie alle dachten. Bei den Mets war er inzwischen der vierte Mann hinter Jon Matlack, Jerry Koosman und dem unglaublichen Tom Seaver. Kurz vor dem All-Star Game lag sein Win-Loss-Record bei vier Wins und sechs Losses, und sein Earned Run Average war auf 5.60 aufgebläht. Die Sportreporter in New York forderten vehement einen neuen vierten Mann. Die Mets lagen zwei Spiele unter .500, und es sah nicht so aus, als würde sich das bessern.

»Herzlichen Glückwunsch zur Aufnahme ins All-Star-Team«, sagte er. Wir saßen im Schatten auf der Terrasse und tranken Milchshakes. Er hatte einen mit Bananen, den er sich immer selbst machte, genau sechs Stunden bevor er den Wurfhügel betrat. Es war eine seiner kleinen Marotten. Alle Baseballspieler, vor allem Pitcher, haben welche, hatte er mir einmal erzählt, daher hatte ich angefangen, bei ihm nach Marotten zu suchen.

»Danke. Wir haben diese Woche jeden Tag trainiert. Das erste Spiel ist am Samstag um zwei Uhr gegen Rye.«

»Tut mir leid, dass ich nicht kommen kann.« Die Mets hatten am Samstag zur gleichen Zeit ein Spiel, daher waren wir beide zufrieden. Er würde nicht bei meinem Spiel sein und ich nicht bei seinem. »Wirst du am Samstag pitchen?«

»Ich glaube nicht. Zurzeit bin ich die Nummer zwei hinter Don Clements. Er ist zwölf.«

Meinem Vater war das völlig egal. Er trank seinen Milchshake, starrte über den Rasen und war völlig in seiner Welt versunken. Ich machte ihm keinen Vorwurf. An den Tagen, an denen ich pitchte, dachte ich an nichts anderes. Ich konnte mir nicht vorstellen, wie nervenaufreibend es war, vor fünfzigtausend Fans im Shea Stadium auf den Wurfhügel zu treten und zu pitchen.

»Was hältst du von diesem Joe Castle?«, fragte ich.

Er schnaubte missbilligend. »Kein schlechter Start, aber diese Jungs sind schnell wieder weg vom Fenster. Nach ein oder zwei Spielen haben wir sie durchschaut. Jeder Rookie hat eine Schwachstelle in seinem Schwung. Früher oder später finden wir sie.«

Er sagte nur selten etwas Nettes über andere Spieler, selbst wenn es um Mannschaftskameraden von ihm ging. Mit elf fand ich das seltsam, doch einige Jahre später begriff ich, dass er, was sein eigenes Spiel anging, so unsicher war, dass er es nur selten fertigbrachte, einen anderen Spieler zu bewundern.

»Warte, bis er es mal mit einem schnellen Slider zu

tun bekommt.« Seine Stimme verlor sich, als seine Gedanken abschweiften.

Ich wollte weder mit ihm streiten noch Ärger machen. Ich war einfach nur froh, mit meinem Vater über Baseball reden zu können. Kein schlechter Start? Nach sieben Spielen hatte Joe vierundzwanzig Hits in einunddreißig At Bats, mit neun Home Runs und neun gestohlenen Bases.

»Dad, ich würde dich heute Abend gerne pitchen sehen. Ich nehme den Zug und werde dir auch nicht im Weg sein. Tom kann mitkommen.«

Er runzelte die Stirn und trank noch einen Schluck.

Man könnte natürlich davon ausgehen, dass der Sohn eines professionellen Baseballspielers alle möglichen Vorteile haben würde, unter anderem Zugang zum Feld vor Spielbeginn, Fanartikel und selbstverständlich Eintrittskarten. Nicht bei Warren Tracey. Er wollte nicht, dass ich im Stadion dabei war, und beschwerte sich oft über andere Spieler, die ihre Kinder vor Beginn des Spiels durch den Dugout toben ließen. Er hielt das für höchst unprofessionell. Für ihn war das Feld heiliger Boden, und nur jene, die Spielerkleidung trugen, sollten ihn betreten dürfen. Er weigerte sich beharrlich, vor dem Spiel Interviews auf dem Feld zu geben, weil Reporter seiner Meinung nach in die Pressebox gehörten.

»Ich sehe, was ich tun kann«, meinte er schließlich, als würde er mir einen Riesengefallen tun. Meine Mom hatte mir verboten, allein mit dem Zug zu fahren, daher hatte ich Tom Sabbatini eingeladen.

»Deine Mutter wird wohl nicht zum Spiel mitkommen«, sagte er.

Das war ein heikles Thema. In jeder Spielzeit ging meine Mutter zu einigen Spielen – so wenigen wie möglich. Wir saßen dann bei den Familien der anderen Mets-Spieler. Ich kannte einige der Kinder, war jedoch nicht mit ihnen befreundet, da wir die Einzigen waren, die in White Plains lebten. Meine Mutter weigerte sich, Kontakte zu anderen Spielerfrauen zu knüpfen, und erst viele Jahre später erklärte sie mir, warum das so war. Mein Vater war ständig hinter anderen Frauen her – bei Gastspielen, bei Heimspielen, beim Spring Training, egal wann, egal wo, für Warren spielte das keine Rolle. Meine Mutter wusste das, allerdings bin ich mir nicht sicher, woher. Wie in jeder professionellen Baseballmannschaft gab es auch bei den Mets Spieler, die ihre Frauen betrogen, und Spieler, die das nicht taten. Ich kenne die Prozentzahlen nicht, und ich bezweifle, dass hierzu jemals seriöse Untersuchungen angestellt worden sind. Wer will so etwas schon wissen? Wie mir meine Mutter Jahre später erklärte, wussten sämtliche Frauen, wer von den Spielern fremdging und wer nicht, und man konnte getrost davon ausgehen, dass jede Spielerfrau über Warren Traceys Untreue Bescheid wusste. Für meine Mutter war es eine Demütigung, wenn sie mit mir und Jill zusammen im Bereich für die Familien der Spieler saß und so tat, als wären auch wir eine glückliche Familie.

Im Juli 1973 hatten meine Eltern zwölf Jahre einer

schlechten Ehe ertragen. Und beide waren insgeheim dabei, diese Ehe zu beenden.

An jenem Abend nahmen Tom und ich den Zug zur Grand Central Station in New York, dann die U-Bahn zum Shea Stadium. Wir hatten tolle Plätze – zehn Reihen vom Feld entfernt, in der Nähe des Dugout der Mets. Mein Vater pitchte hervorragend und hatte sechs gute Innings, in denen er nur drei Hits abgeben musste, doch im neunten Inning verloren die Mets, obwohl sie mit zwei Runs in Führung gelegen hatten. Auf dem Weg nach Hause war die U-Bahn voll mit randalierenden Fans der Mets, von denen viele betrunken waren. Nach einem Besuch im Stadion, auf den Baseballfeldern der Little League, ja sogar in der Schule hörte ich manchmal, wie über Warren Tracey geschimpft wurde. Die New Yorker Sportfans sind mit Inbrunst bei der Sache und wissen, wovon sie reden. Und sie halten mit ihrer Meinung nicht zurück. (Ich war im Shea Stadium, als Tom Seaver ausgebuht wurde.) Immer wenn ich eine abfällige Bemerkung über meinen Vater hörte, zuckte ich zusammen und widerstand der Versuchung, genauso ausfallend zu werden. Häufig war das Gezeter jedoch gerechtfertigt.

Als ich zu Hause war, meldete ich mich bei meiner Mutter zurück und ging dann schnell ins Bett. Ich wollte nicht mehr wach sein, wenn mein Vater nach Hause kam, falls er überhaupt kam. Seine schlimmsten Alkoholexzesse hatte er in den Nächten nach einem Spiel, in dem er gepitcht hatte. Er musste erst in drei Tagen wieder auf dem Wurfhügel stehen, warum sollte er die Gelegenheit also nicht nutzen und ein wenig über die Stränge schlagen?

7

Am darauffolgenden Samstag verlor die All-Star-Auswahl von White Plains East in der ersten Runde des Regionalturniers gegen Rye, und die Mets verloren gegen die Cardinals. Ich spielte nicht, mein Vater auch nicht. Als Starting Pitcher würde er an einem freien Tag natürlich nie spielen, doch ich hätte ein oder zwei Innings spielen sollen. Während der regulären Spielsaison pitchte ich nicht, sondern spielte als Outfielder. Ich hatte einen Trefferdurchschnitt von .412 in achtzehn Spielen, der sechsthöchste der League, und gegen Ende des Spiels gegen Rye hätten wir einen guten Hitter auf der Plate brauchen können. Unser Coach war da allerdings anderer Meinung.

Als ich mir den Spielplan ansah, der neben dem Getränkestand hing, bekam ich plötzlich ein flaues Gefühl im Magen. Ich war für unser nächstes Spiel gegen Eastchester am Montagnachmittag als Starting Pitcher aufgestellt, und mein Vater würde zu Hause sein. Er war nicht in das All-Star-Team der National

League aufgenommen worden, war nicht einmal in die engere Auswahl gekommen, obwohl er es seiner Meinung nach natürlich verdient hätte. Wegen des All-Star Game war der reguläre Spielbetrieb für drei Tage unterbrochen, und das Spiel selbst sollte am Dienstagabend in Kansas City stattfinden.

Bei einem Spielplan, der vom 1. April bis Ende September geht und einundachtzig Heimspiele und einundachtzig Auswärtsspiele vorsieht, ist die All-Star-Game-Unterbrechung für alle Profispieler in den Major Leagues eine willkommene Auszeit. Die Spieler, die nicht im All-Star-Team dabei sind, fahren häufig nach Hause oder machen einen Kurzurlaub. Im Jahr zuvor hatte mein Vater – der auch da nicht in die Auswahl gekommen war – die freien Tage mit einem anderen Spieler der Mannschaft beim Forellenfischen in Montana verbracht und sich danach mit dem Rest des Teams zum nächsten Spiel in San Francisco getroffen. Ich hatte die Ohren gespitzt, aber leider nicht mitbekommen, ob für dieses Jahr ebenfalls ein Angeltrip geplant war.

Wenn mein Vater mir beim Baseballspielen zusah, saß er nie mit meiner Mutter und den anderen Zuschauern zusammen auf der Tribüne. Er wollte nicht gestört werden. Einmal war er von einem Jungen um ein Autogramm gebeten worden, worüber er sich noch eine Woche später beschwert hatte. Er spielte für die Mets, daher war er berühmt und wollte sich nicht unter die gewöhnlichen Eltern mischen. Um all dem zu entkommen, suchte er sich immer eine Stelle am Zaun, irgendwo in der Nähe des Dugouts und von dort aus brüllte er mir dann immer zu, was ich tun und lassen sollte. Er hasste sämtliche Coaches, weil sie natürlich überhaupt nichts von Baseball verstanden. Die Coaches wiederum versuchten, ihn in das Spiel miteinzubeziehen, da er ja der Profi war, und sein rüdes Verhalten war einfach nur peinlich. Mehrfach sah ich mich gezwungen, mich bei einem Coach für ihn zu entschuldigen.

Das Turnier fand in Scarsdale statt, und als wir zum Baseballfeld fuhren, sagte niemand von uns auch nur ein Wort. Jill und ich saßen hinten; sie schmollte, weil sie Baseball hasste. Mein Vater war eingeschnappt, weil ein Reporter der *Times* in der Morgenausgabe geschrieben hatte, dass die Mets den Klassensieg nicht erreichen würden, solange Warren Tracey für sie pitche. Ich war ein nervliches Wrack und hatte Magenschmerzen. Meine Mutter blätterte in einer Zeitschrift, als wäre alles in schönster Ordnung.

Als ich den Wurfhügel betrat, konnte ich kaum den Schläger halten. Mein erster Pitch war ein schwacher Fastball, den der Batter als schnellen Line Drive schlug, aber direkt zu unserem Shortstop. Ich holte tief Luft und fühlte mich etwas besser. Mein zweiter Pitch war ein Fastball, der als Foul Pop zu unserem First Baseman ging. Zwei Pitches, zwei Outs. Das war vielleicht doch einfacher, als ich gedacht hatte. Der dritte Batter bedeutete Ärger, und alle kannten ihn. Er hieß Luke Gozlo, ein großer Junge mit einer großen Klappe und einem großen Schläger, mit dem er jedes seiner Worte unterstrich. Er wurde später von den Red Sox unter Vertrag genommen und versauerte dann in den Minor Leagues.

»Wirf den Ball nicht in die Mitte der Plate. Ein Walk ist immer noch besser als ein Home Run«, sagte mein Coach immer. Ich versuchte also mein Bestes, um außerhalb der Strike Zone zu pitchen und einen Walk zu erreichen, als mein dritter Pitch ausbrach und mitten in die Strike Zone flog. Luke hob den vorderen Fuß, ging den Ball an, und kaum hatte er ihn geschlagen, wurde mir schlecht. Unser Left Fielder rührte sich nicht vom Fleck. Der Blödmann stand mit den Händen in die Hüften gestemmt da und sah dem Ball zu, als würde er ein Kampfflugzeug beobachten, das über das Feld donnerte. Der Ball landete auf dem Parkplatz. Luke jubelte lautstark, als er um die erste und die zweite Base lief und dabei auch noch die Faust in die Luft stieß. Was für ein Idiot. Dann sprang er mit beiden Füßen auf die Home Plate und riss sich den Helm herunter, damit alle das Grinsen auf seinem Gesicht sehen konnten.

Ich warf mit möglichst viel Kraft drei Fastballs und machte den Clean-up-Hitter mit drei Strikes out. Als ich vom Feld ging (niemals rennen, hatte mir mein Vater eingebläut; der Pitcher rennt nie vom Feld), winkte mein Vater mich zu sich. Doch mein Coach roch, dass es Ärger geben würde, und fing mich an der Foul-Linie ab. Er legte mir den Arm um die Schultern, sagte, dass ich mir nichts daraus machen solle, und begleitete mich zum Dugout, wo ich vor den Ratschlägen meines Vaters sicher war.

In der ersten Hälfte des vierten Innings kam Luke Gozlo an die Plate, bei leeren Bases und keinen Outs. Mein Vater brüllte »Paul«, um meine Aufmerksamkeit zu bekommen, doch ich tat so, als hätte ich ihn nicht gehört. Mein erster Pitch war ein Fastball, bei dem Luke schwang, aber nicht traf. Als unsere Fans jubelten, hörte ich meinen Vater sagen: »Paul, verpass ihm einen Ball.« Ich sah zu meinem Coach hinüber. Er hatte es auch gehört und schüttelte den Kopf. Nein.

Ich hatte schon einige Batter getroffen, doch nie mit Absicht. Im Jahr zuvor war ein Fastball von mir an Kirk Barnes' Helm abgeprallt. Das Geräusch war entsetzlich gewesen. Er hatte eine Stunde lang geweint, und um ein Haar hätten wir beide mit Baseballspielen aufgehört. Außerdem wollte ich keinen Ärger mit Luke Gozlo. Er war hart im Nehmen und gehörte zu der Sorte von Jungen, die nach dem Spiel auf dem Parkplatz warten und mich windelweich prügeln würden.

Mit meinen nächsten vier Pitches, von denen keiner in die Nähe seines Kopfs oder der Strike Zone kam, ließ ich Luke mit einem Walk auf die erste Base vorrücken. Dann warf ich bei einem Count von 2 und 2 dem Clean-up-Batter einen Curveball mit zu wenig Spin zu, was ein Riesenfehler war. Als der Batter den Ball über den Zaun hämmerte, benahm Luke sich wieder wie ein Idiot und umrundete die

Bases erneut unter lautem Freudengeheul. In diesem Moment wünschte ich, ich hätte ihm einen Beanball verpasst.

Nachdem ich zwei Strikeouts geworfen und zwei Walks abgegeben hatte, hatte ich Glück mit einem weiten Fly Ball ins Deep Right Field. Als ich zum Dugout ging, warf ich einen verstohlenen Blick zu meinem Vater. Er schüttelte verärgert den Kopf und murmelte mit vor der Brust verschränkten Armen etwas vor sich hin. Ich überlegte, ob ich nicht besser per Anhalter nach Hause fahren sollte. Vielleicht nahm mich einer der Coaches oder jemand aus meiner Mannschaft mit. Vielleicht konnte ich auch zu den Sabbatinis ziehen und endlich ein normales Leben führen.

Als unser Team 5:2 zurücklag und vor einer vernichtenden Niederlage stand, beschloss unser Coach, den Pitcher auszuwechseln. Ich hätte gern weitergespielt, war aber doch froh, dass ich draußen war und im Dugout saß.

Eastchester gewann mit 11:2, und damit war unsere Saison vorbei.

Auch meine Karriere als Baseballspieler war vorbei. Ich sollte nie wieder einen Schläger in die Hand nehmen.

Auf der Fahrt nach Hause wartete mein Vater vielleicht zwei Minuten, bevor er den Punkt erreichte, an dem er nicht länger schweigen konnte. »Das war ein erbärmliches Spiel«, begann er.

Meine Mutter war kurz vor dem Explodieren. »Fang bloß nicht damit an, Warren. Denk nicht mal dran. Halt einfach den Mund und fahr.«

Ich sah sein Gesicht nicht, konnte mir aber denken, dass es dunkelrot war. Ich wusste, dass seine erste Reaktion darin bestehen würde, den Wagen anzuhalten, meiner Mutter ins Gesicht zu schlagen und dann mit mir auf dem Rücksitz weiterzumachen. Zufällig vorbeikommende Autofahrer würden Zeugen eines weiteren Familienstreits der Traceys werden, der völlig ungeniert am Straßenrand ausgetragen wurde.

Allerdings schlug er meine Mutter nur, wenn er betrunken war. Das war zwar keine Entschuldigung, aber als die Sekunden endlos langsam verstrichen, tröstete mich das ein wenig.

Ein erbärmliches Spiel? An diesem Punkt seiner Karriere hatte er einundsechzig Spiele gewonnen und achtzig verloren War das denn nicht auch erbärmlich? Und was war mit diesem erbärmlichen Spiel gegen die Dodgers im Mai, als er im ersten Inning sechs Runs abgab und dann bei geladenen Bases und nur einem Out den Wurfhügel verließ? Was war mit dem erbärmlichen Spiel vor drei Wochen in Pittsburgh, als er bei einem Vorsprung von fünf Runs im siebten Inning zu pitchen begann und die Führung einbüßte, bevor der Reliever der Mets es geschafft hatte, sich aufzuwärmen? Ich wollte gar nicht erst damit anfangen. Seine Stats kannte ich besser als er, doch wenn ich jetzt meinen vorlauten

Mund aufmachte, würde er mit Sicherheit auf mich einschlagen.

Ich schaffte es zu schweigen. Er auch, und so überlebten wir die Fahrt nach Hause. »Paul, wir gehen mal kurz in den Garten. Ich muss dir was zeigen«, sagte er, als er den Motor abstellte.

Ich sah Hilfe suchend zu meiner Mutter, doch sie beeilte sich, aus dem Wagen zu kommen.

Das Gespräch im Garten wurde schnell ungemütlich und dann handgreiflich. Als es vorbei war, schwor ich, dass ich nie wieder Baseball spielen würde, solange mein Vater am Leben war.

8

Joe kam am Montag in den frühen Morgenstunden zu Hause an. Das Licht war eingeschaltet; seine Eltern warteten auf ihn. Als er den Wagen am Randstein parkte, fiel ihm das große Plakat auf, das neben dem Briefkasten im Rasen steckte. Es war ein Papp-Trikot der Cubs mit der blauen Nummer 15 in der Mitte. Er sah sich um – vor jedem Haus in der Church Street stand das gleiche Plakat. Später sollte ihm klar werden, dass es auf jedem Rasen in Calico Rock stand, außerdem in den Schaufenstern sämtlicher Geschäfte, Büros, Banken und Cafés.

Die Familie seiner Mutter stammte aus dem Süden von Louisiana, und Joe war mit Cajun-Küche groß geworden. Sein Lieblingsgericht waren rote Bohnen und Reis mit Andouille-Wurst, und um drei Uhr an diesem Morgen verdrückte er einen ganzen Teller davon. Dann schlief er bis Mittag.

Charlie Castle war acht Jahre älter als Joe. Er war verheiratet, hatte zwei kleine Kinder und lebte in einem neuen Haus am Stadtrand. Dort versammelten sich am späten Dienstagnachmittag die Familie und zahlreiche Freunde zu Hotdogs und Eiscreme. Der eigentliche Anlass war jedoch der Besuch von Joe, den alle anfassen wollten, um sich davon zu überzeugen, dass er tatsächlich da war, und um ihm irgendwie zu zeigen, wie unglaublich stolz sie auf ihn waren. Er machte es ihnen einfach. Zu Hause, weit weg von Chicago, genau genommen weit weg von allem, schienen die letzten zwölf Tage unwirklich zu sein, und es gab Momente, in denen er genauso benommen wirkte wie seine Bewunderer. Er gab Autogramme, posierte für Fotos, küsste sogar einige Babys. Im Wohnzimmer lief das All-Star Game, doch alle waren draußen im Garten.

Jetzt hatten sie Joe für sich, doch das sollte nicht lange währen. Die Welt gierte nach ihm. Auf Joe wartete Großes, und bald schon würde er wieder im Mittelpunkt des Interesses stehen.

Ich sah mir das All-Star Game zu Hause mit meiner Mutter an. Die Sabbatinis hatten mich eingeladen, doch ich hatte ein blaues Auge und weigerte mich, aus dem Haus zu gehen. Zwischen meinen Eltern herrschte Krieg, und irgendwann war mein Vater in die Stadt geflohen, wo er zweifellos in eine Bar gehen und noch mehr Ärger machen würde. Bevor er gegangen war, hatte er sich bei mir für die Schläge entschuldigt, doch die Entschuldigung bedeutete mir nichts. Ich hasste ihn. Ich glaube, meine Mutter hasste ihn auch. Jill wollte schon lange nichts mehr mit ihm zu tun haben.

Das Spiel war in Kansas City und sollte zu einem Triumph für Willie Mays werden, den besten All-Star-Spieler aller Zeiten. In vierundzwanzig Spielen erzielte er dreiundzwanzig Hits, bei drei Home Runs, drei Triples, zwei Doubles und zahllosen großartigen Spielzügen in der Defensive. Inzwischen war er zweiundvierzig Jahre alt, saß bei den Mets auf der Bank und hatte vor, am Ende der Saison seine Karriere zu beenden.

Ich war der einzige Junge in meinem Bekanntenkreis, der Willie persönlich kannte. Es war ganz zu Beginn der Spielzeit gewesen, als die Mets ihren alljährlichen Familientag im Shea Stadium hatten. Die meisten Spielerfrauen und -kinder waren da gewesen, um sich kennenzulernen und Fotos von sich machen zu lassen. Es gab Eiscreme, Autogramme, Führungen durch das Stadion und die Kabine und jede Menge Souvenirs. Mein Vater hatte mir widerwillig erlaubt, an der Veranstaltung teilzunehmen. Ich hatte mich mit Willie Mays, Tom Seaver, Rusty Staub und den meisten anderen Spielern der Mets zusammen fotografieren lassen. Meine Mutter ließ die Fotos vergrößern, und ich hatte sie in meine Scrapbooks geklebt. Die Alben für Tom Seaver und Willie Mays – die einzigen Spieler der Mets, die es je in das All-Star-Team geschafft hatten – waren besonders dick.

Während ich mir das Spiel ansah, fragte ich mich,

was sie wirklich von Warren Tracey hielten. Sicher, sie waren Mannschaftskameraden, doch ich bezweifelte, dass sie viel für meinen Vater übrighatten. Ich versuchte zwar ständig, ihm etwas aus der Nase zu ziehen, doch er sprach nur selten über die anderen Spieler. Mit zwei von den Relievern aus dem Bullpen ging er manchmal abends weg, und hin und wieder erzählte er eine lustige Geschichte über etwas, das im Klubhaus oder bei einem Auswärtsspiel passiert war – Geschichten, die für unsere Ohren geeignet waren. Yogi Berra, der Manager, war immer für einen Lacher gut. Doch die richtig bekannten Spieler der Mets – Tom Seaver, Willie Mays, Jerry Koosman, Rusty Staub – waren tabu. Ich glaube, er neidete ihnen den Erfolg.

Für die American League hatten die Fans so großartige Spieler wie Brooks Robinson, Reggie Jackson und Rod Carew ausgewählt. Catfish Hunter war der Starting Pitcher. Im Team der National League waren drei Spieler der Reds, Pete Rose, Joe Morgan und Johnny Bench. Von den Cubs waren es zwei, Ron Santo und Billy Williams. Hank Aaron war der First Baseman. Für das Spiel waren vierundfünfzig Spieler – so viele wie noch nie – aufgestellt worden, und ich hatte von jedem einzelnen die Topps-Baseballkarte. Ich kannte ihr Alter, ihren Geburtsort, ihre Größe, ihr Gewicht und sämtliche Stats. Diese Informationen brauchte ich nicht auswendig zu lernen – ich sog sie einfach auf. Baseball war meine Welt, und die Spieler waren meine Idole.

Mein Sport hatte mir jedoch gerade eine herbe Enttäuschung bereitet, und ich war schwer getroffen. Die rechte Seite meines Gesichts war dick angeschwollen, und das Auge bekam ich gar nicht mehr auf. Ich war so froh, dass mein Vater nicht im All-Star Game spielte, denn das hätte ich nicht ertragen. Er war nicht mal in die engere Auswahl gekommen, doch mit seinem verdrehten Ego fühlte er sich übergangen. Es war eine Erleichterung, dass er nicht zu Hause war.

Meine Mutter, die in der Nähe saß, las ein Taschenbuch und achtete nicht auf das Spiel, doch sie blieb bei mir. Nachdem mein Vater hinausgestürmt war und sich alles wieder beruhigt hatte, sagte sie zu mir, dass er mich nie wieder schlagen werde. Für mich war das ein sicheres Zeichen dafür, dass sie ihn oder er uns verlassen würde oder dass es sonst irgendwie zum Bruch kam. Das flüsterte ich Jill zu, und zuerst freuten wir uns. Dann begannen wir uns zu fragen, wo wir leben würden. Was würde aus ihm werden? Wie würde Mom ohne sein Geld zurechtkommen? Während wir uns die verschiedenen Szenarien ausmalten, kamen uns immer mehr Fragen in den Sinn. Ich glaube, jedes Kind möchte, dass seine Eltern zusammenbleiben, doch im Laufe des Tages fühlte ich mich hin und her gerissen zwischen den Unsicherheiten einer Scheidung und dem angenehmen Gedanken an ein Leben ohne meinen Vater. Ich tendierte dazu, Letzteres zu bevorzugen.

Als Ron Santo im zweiten Inning an die Plate trat,

fingen Curt Gowdy und Tony Kubek sofort damit an, von Joe Castle zu erzählen. Die beiden waren zehn Tage zuvor bei dem historischen Ereignis im Wrigley Field dabei gewesen und fassten alles noch einmal zusammen, während das Duell Santo gegen Catfish Hunter lief. Nach elf Spielen hatte Joe inzwischen vierzig At Bats, neunundzwanzig Hits, zwölf Home Runs und vierzehn gestohlene Bases. Er hatte in jedem Spiel Safe Hits geschlagen, und – was noch wichtiger war – die Cubs hatten neun der elf Spiele gewonnen und standen an erster Stelle der National League East. Das Wrigley Field war nicht nur bei jedem Heimspiel mit Joe ausverkauft, sondern auch für alle weiteren Spiele bis nach dem Labor Day.

Kubek stellte die gleiche Vermutung an, die bereits die Runde machte. Die Weisen des Baseballs und mein Vater waren der Meinung, dass die Pitcher Joe schon sehr bald durchschauen und seine Schwächen finden würden. Sein Trefferdurchschnitt lag zurzeit bei .725, was geradezu lächerlich war, und würde mit Sicherheit wieder sinken, wenn er eine Weile in der League gespielt hatte.

Gowdy war sich da nicht so sicher. »Ich habe kein Loch in seinem Schwung entdecken können«, meinte er.

»Ich auch nicht«, stimmte Kubek schnell zu.

»Er hatte nur zwei Strikeouts.«

»Gutes Gleichgewicht; er bleibt schön hinten, unglaubliche Schlaggeschwindigkeit.«

Der arme Ron Santo – in den Schatten gestellt von

seinem neuen Teamkameraden, der in Calico Rock, Arkansas, gerade das selbst gemachte Erdbeereis seiner Tante Rachel aß und das All-Star Game gar nicht verfolgte.

Als am 26. Juli der normale Spielbetrieb wieder aufgenommen wurde, begannen die Cubs in Cincinnati eine aus vier Partien bestehende Serie gegen die Big Red Machine, wie die Cincinnati Reds, das erfolgreichste Team der 1970er, auch genannt wurden. Mit einem Line-up, zu dem Pete Rose, Johnny Bench, Joe Morgan und Tony Perez gehörten, hatten die Reds die World Series 1972 in sieben Spielen nur knapp gegen die Oakland A's verloren, sie dann aber 1975 und 1976 gewonnen.

In der National League West lagen die Reds gerade zwei Spiele vor den Dodgers. Wie üblich war das Spiel gut besucht, und die meisten Zuschauer fragten sich, ob der Schläger von Joe Castle während der Unterbrechung für das All-Star Game langsamer geworden war.

War er nicht. Joe schlug gleich in seinem ersten At Bat einen Solo-Home-Run und hätte um ein Haar einen zweiten im vierten Inning erzielt. Im ersten Spiel schlug er drei Hits in vier At Bats, im zweiten Spiel waren es zwei in fünf, im dritten Spiel zwei in vier und im vierten Spiel einer in drei. Die Teams gingen unentschieden aus der Serie, und nach einundneunzig gewonnenen Spielen standen die Reds schließlich an der Spitze der National League West.

Joe gewann acht von sechzehn Spielen der Serie, und sein Trefferdurchschnitt fiel auf .661.

Plötzlich war ein weiterer obskurer Rekord in greifbare Nähe gerückt. 1941 hatte ein Rookie namens Chuck Aleno Safe Hits in seinen ersten siebzehn Spielen in einer Major League geschlagen, ein Rekord, der bis 1973 galt. Danach hatte sich Aleno erheblich verschlechtert und nach drei Jahren, in denen er lediglich einhundertachtzehn Spiele mit einem Trefferdurchschnitt von .209 absolvierte, mit Baseball aufgehört. Ein ähnliches Scheitern sagten die Experten natürlich auch Joe Castle voraus.

Joes sechzehntes Spiel fand in Pittsburgh statt, und er begann in der ersten Hälfte des ersten Innings mit einem Stand-up-Triple. Die zahlreich erschienenen Zuschauer – die Cubs konnten auch bei Auswärtsspielen auf ein großes Publikum zählen – applaudierten höflich. Die Fans der Pirates waren Spitzenspieler wie Roberto Clemente, Willie Stargell und Al Oliver gewohnt, und sie verstanden etwas von Baseball. Sie waren dabei, als Geschichte geschrieben wurde, und obwohl sie auf einen Sieg für ihre Mannschaft hofften, feuerten sie den Rookie an. Das zweite Spiel ging über vierzehn Innings; Joe bekam seine fünf Hits in fünf At Bats. In seinem siebzehnten Spiel konnte er nach einem Home Run mit Alenos Rekord gleichziehen, in seinem achtzehnten Spiel stellte er dann mit zwei Doubles einen neuen Rekord auf.

Als die Cubs Pittsburgh verließen, um eine Serie aus drei Partien in Montreal zu spielen, hatte Joe neunzehn Spiele absolviert, in jedem dieser Spiele Safe Hits geschlagen und einen auffallend hohen Trefferdurchschnitt von .601 erzielt, mit vierzehn Home Runs und siebzehn gestohlenen Bases. Noch immer hagelte es Rekorde für ihn; noch nie hatte ein Rookie einen derart furiosen Start hingelegt.

Die Cubs waren das angesagteste Baseballteam und führten mit sechs Spielen vor den Pirates die National League East an.

Den Titel der *Sports Illustrated* vom 6. August zierte das lächelnde Gesicht von Joe Castle. Das Foto zeigte ihn von der Hüfte aufwärts. Er hatte sich einen Baseballschläger quer über die breiten Schultern gelegt und hielt beide Enden in den Händen. Sein Bizeps war gewölbt – der Inbegriff eines Kraftpakets. Über seinem Kopf stand in fett gedruckten Buchstaben »Calico Joe« und unter seiner Brust »Das Phänomen«.

Der Reporter war nach Calico Rock gefahren und hatte Interviews mit Joes Familie, Freunden und ehemaligen Coaches und Teamkameraden geführt. Der Artikel war gründlich, fair und ausgewogen und lieferte den ersten tieferen Einblick in Joes bisheriges Leben. Eine unschätzbare Informationsquelle war Clarence Rook, Sportredakteur des *Calico Rock Record* und inoffizieller Baseballhistoriker für das Izard County in Arkansas.

9

Clarence Rook bittet mich, die Redaktionsräume der Zeitung in der Main Street zu verlassen, und ich folge seiner Aufforderung. Zwei Häuser weiter kaufe ich mir zwei Kugeln Eis in einer Eisdiele und höre mir ein wenig Kleinstadttratsch an, während draußen auf dem Gehsteig der spärliche Fußgängerverkehr an mir vorbeizieht. Nachdem ich eine Stunde totgeschlagen habe, fahre ich drei Häuserblocks nach Westen und ein Stück weiter die Küste hoch bis zur Hausnummer 130 in der South Street, wo Mr. Rook seit einundvierzig Jahren lebt. Er wartet auf der vorderen Veranda auf mich und hat sich schon umgezogen.

Das Haus ist groß und alt, im viktorianischen Stil erbaut, mit einer breiten, umlaufenden Veranda, hohen Bogenfenstern und Giebeln, die in verschiedenen Farben gestrichen sind, bei denen helles Maisgelb dominiert. Der kleine Rasen und die Blumenbeete sind genauso gepflegt und bunt wie das Haus.

»Ein schönes Haus«, sage ich, als ich durch das Tor des weißen Holzzauns gehe.

»Ein Erbstück. Von der Familie meiner Frau. Herzlich willkommen.«

Er trägt ein lockeres weißes Leinenhemd, das ihm fast bis zu den Knien reicht, eine weite, knielange Hose in Weiß und ein Paar abgewetzte Espadrilles. In der rechten Hand hält er ein hohes, schmales Glas mit einem Strohhalm, mit der linken deutet er auf die seitliche Veranda und sagt: »Kommen Sie mit. Fay ist irgendwo da hinten.« Ich folge ihm über die knarzenden Holzdielen und unter den surrenden Deckenventilatoren hindurch. Die Veranda ist mit weißen Korbmöbeln vollgestopft – Schaukelstühle, Hocker, Beistelltische, eine lange Schaukel mit unzähligen Kissen.

Mit »Fay« ist Mrs. Rook gemeint, eine agile kleine Frau mit weißen Haaren und einer großen runden Brille mit orangefarbenem Gestell. Sie begrüßt mich überschwänglich mit beiden Händen, als hätte sie seit Jahren keinen Gast mehr gehabt. »Sie sind aus Santa Fe?«, fragt sie mich. »Ich liebe Santa Fe. Dort hat die faszinierendste Frau gelebt, die ich gern kennengelernt hätte.«

»Und das wäre?«

»Georgia O'Keeffe natürlich.«

»Fay ist Künstlerin«, fügt Mr. Rook hinzu, obwohl das inzwischen ziemlich offensichtlich ist. Wir sind jetzt auf der hinteren Veranda, hoch über dem White River, und ohne es zu merken, habe ich das

Atelier einer ernst zu nehmenden Malerin betreten. Zahllose Staffeleien, daneben Reihen ordentlich aufgestellter Farbflaschen sowie Kisten mit Pinseln in allen möglichen Größen und Formen. Einige Beispiele ihrer Arbeit lassen auf eine Vorliebe für impressionistisch angehauchte Blumen und Landschaften schließen.

»Möchten Sie etwas trinken?«, fragt Mr. Rook, während er zu einer kleinen Bar geht.

»Ja, gern.«

»Das Hausgetränk ist Lemon Gin«, sagt er, während er etwas Gelbes aus einer Kanne in ein Glas mit Eiswürfeln gießt. Ich habe noch nie von Lemon Gin gehört, aber offenbar habe ich kein Mitspracherecht, was die Auswahl meines Cocktails angeht.

»Das Zeug ist grauenhaft.« Mrs. Rook verdreht die Augen, als hätte ihr Mann irgendein Problem.

Er hält mir das Glas hin. »Das ist kein echter Lemon Gin, der angeblich aus echtem Gin mit ein bisschen Zitrone besteht, was tatsächlich furchtbar klingt. Eher Limonade mit einem Schuss Gordon's, um das Ganze etwas aufzupeppen. Prost.«

Wir stoßen an, und ich trinke einen Schluck. Nicht schlecht. Dann ziehen wir auf die seitliche Veranda um und setzen uns auf die Korbmöbel. Mrs. Rook ist eine Studie in Bunt. In ihrem weißen Haar leuchtet eine rosa Strähne. Ihre Zehennägel sind pink lackiert. Ihr bequemes Baumwollkleid ist eine Collage aus Rot- und Blautönen. »Sie müssen zum Essen bleiben«, sagt sie. »Wir essen das, was im Garten wächst, es ist alles frisch. Kein Fleisch. Ist das für Sie in Ordnung?«

Ein höfliches Nein kommt nicht infrage, außerdem ist mir bereits klar geworden, dass gute Restaurants in Calico Rock Mangelware sind. Ein Motel habe ich auch noch nicht gesehen.

»Wenn Sie darauf bestehen«, erwidere ich, worüber sie sich unbeschreiblich zu freuen scheint.

»Ich werde gleich ein paar Zucchini pflücken.« Sie springt auf und eilt davon.

Wir nippen an unseren Gläsern und reden über die Hitze und die Feuchtigkeit, doch bald schon wenden wir uns wichtigeren Themen zu.

»Paul, Sie müssen verstehen, dass die Castles Joe abschirmen«, beginnt Mr. Rook. »Wenn Sie ihm zufällig irgendwo begegnen würden, sagen wir mal, auf der Straße, was aber sowieso nie passieren würde, da Joe nur selten in der Stadt unterwegs ist, aber wenn Sie ihn zufällig treffen und versuchen würden, ihn zu begrüßen, würde er einfach weitergehen. Ich kann mir nicht vorstellen, dass Joe sich mit einem Fremden unterhalten würde. So was gibt es einfach nicht. Im Laufe der Jahre hatten wir immer mal wieder einen Journalisten hier, der nach Material gesucht hat. Es ist schon lange her, dass ein paar Artikel über ihn geschrieben wurden, in denen man sehr unschöne Dinge über ihn gesagt hat.«

»Zum Beispiel?«

»Joe ist hirngeschädigt. Joe ist behindert. Joe ist verbittert. Und so weiter. Die Familie misstraut jedem, der hier auftaucht und über Joe reden will. Deshalb würden sie es auch nie erlauben, dass Sie mit ihm sprechen.«

»Könnte ich mit seinen Brüdern reden?«

»Wer bin ich, dass ich Ihnen das sagen kann? Da sind Sie auf sich allein gestellt, aber ich würde es Ihnen nicht empfehlen. Red und Charlie sind sehr nett, aber auch hart im Nehmen. Und wenn es um ihren kleinen Bruder geht, können sie sehr schnell unangenehm werden. Sie gehen nie ohne Waffe aus dem Haus, wie viele Leute hier. Jagdgewehre und dergleichen.«

Der Lemon Gin tut seine Wirkung, und ich bin gern bereit, über alles Mögliche zu reden, nur nicht über Gewehre. Ich trinke einen großen Schluck, genau wie Mr. Rook, und einen Moment lang sind die surrenden Flügel der Deckenventilatoren die einzigen Geräusche. »Haben Sie ihn im Wrigley Field spielen sehen?«, frage ich schließlich.

Auf seinem Gesicht erscheint ein breites, nostalgisches Lächeln, und er nickt. »Zweimal. Fay und ich sind in dem Sommer damals Anfang August nach Chicago gefahren. Der Artikel in der *Sports Illustrated* war gerade erschienen, und die Welt konnte gar nicht genug von Joe Castle bekommen.«

»Wie sind Sie an Eintrittskarten gekommen?«

»Die waren vom Schwarzmarkt. Viele Leute von hier wollten unbedingt nach Chicago zu einem Spiel mit ihm, doch Gerüchten zufolge gab es keine Eintrittskarten mehr. Joe bekam für jedes Spiel eine Handvoll Karten, um die immer ein heftiger Kampf entbrannte. Ich kann mich noch daran erinnern, wie ich einmal morgens Kaffee in der Stadt trank und Mr. Herbert Mangrum hereinkam. Er hatte Geld und war gerade nach Pittsburgh geflogen, um die Cubs zu sehen. Herb redete gern und wollte gar nicht mehr aufhören, uns allen zu erzählen, dass er Joe in Pittsburgh gesehen habe.«

»Dann sind Sie also ohne Eintrittskarten nach Chicago gefahren?«

»Genau, aber ich hatte einen Kontakt. Und dann hatten wir Glück und bekamen sogar Karten für zwei Spiele. Nach dem ersten habe ich mit Joe gesprochen. Der Junge war überglücklich. Wir waren so stolz auf ihn.«

»Welche Spiele?«

»Am 9. und 10. August, gegen die Braves.«

»Da haben Sie das Beste verpasst. Am nächsten Tag bekam er den Platzverweis.«

Mr. Rook fährt sich mit der Zunge über die Lippen und wirft mir einen sonderbaren Blick zu. »Sie kennen sich aus, stimmt's?«

»O ja, Sir, ich kenne mich aus.«

»Könnten wir das mit dem ›Sir‹ und dem ›Mister‹ nicht mal lassen? Sagen Sie Clarence zu mir und Fay zu meiner Frau.«

»Okay, Clarence. Was möchten Sie über die kurze, glückliche und tragische Karriere von Joe Castle wissen?«

»Wie viele Spiele hat er absolviert?«, fragt Clarence, obwohl er die Antwort schon kennt.

»Achtunddreißig, und die Box Score von jedem einzelnen kenne ich auswendig. Wenn er am 11. August, einen Tag nachdem Sie ihn spielen sahen, nicht vom Platz gestellt worden wäre, hätte er dreiundvierzig gespielt.«

Clarence lächelt, nickt und trinkt einen großen Schluck. »Sie irren sich, Paul. Er hätte dreitausend Spiele gespielt, wenn es diesen Beanball nicht gegeben hätte.« Er stellt das Glas auf den Tisch, steht auf und sagt: »Bin gleich wieder da.«

Er kommt mit einem Karton zurück, den er auf den Boden neben die Couch stellt. Er entnimmt ihm vier dicke Ringordner, die alle den gleichen Einband haben und in mustergültiger Ordnung sind, und stellt sie auf den Tisch. »Das Buch, das ich nie geschrieben habe – die Geschichte von Joe Castle. Vor vielen Jahren habe ich mit dem ersten Kapitel angefangen und es dann irgendwann sein lassen. Nicht mein einziges unvollendetes Projekt. Ich glaube, die Welt ist ein besserer Ort, weil ich dazu neige, alles auf die lange Bank zu schieben.«

»Wie kann der Herausgeber einer Zeitung etwas auf die lange Bank schieben? Ihr Leben wird doch vom Redaktionsschluss bestimmt, oder?«

»In gewisser Hinsicht schon, aber da wir den ganzen Tag mit einem Auge auf dem Kalender arbeiten, neigen wir manchmal dazu, andere Projekte zu vernachlässigen.«

»Was ist dann der Grund dafür, dass Sie dieses Buch nicht geschrieben haben?«

»Wenn ich ehrlich bin, lag es an der Familie. Einmal habe ich mich mit Red darüber unterhalten, und ihm gefiel es gar nicht. Calico Rock ist zu klein, um sich Feinde zu machen, und da die Familie nicht mit mir zusammenarbeiten wollte, war es das Buch nicht wert, geschrieben zu werden.« Er blättert durch den zweiten Ordner und findet die Markierung für den 11. August 1973. »Kommen Sie her«, sagt er und klopft auf das Kissen neben sich.

Ich setze mich um und werfe einen Blick in den Ordner.

»Das ist eine meiner Lieblingsgeschichten«, sagt er, während er auf einen Artikel in der *Tribune* deutet, der darüber berichtet, dass Joe vom Platz verwiesen wurde, nachdem er den Pitcher angegriffen hatte. Die Schlägerei selbst war auf einem großen Foto abgebildet. »Anfang August in dem Sommer fingen die Pitcher an, immer öfter auf Joe direkt zu zielen. Das ist eine Art Ritual und wird bei allen Rookies so gemacht, vor allem wenn jemand auch noch ungewöhnlich viel Erfolg hat. Doch die Cubs hatten Ferguson Jenkins und Rick Reuschel, zwei zähe Burschen, die hart werfen konnten und dafür bekannt waren, ihre Hitter in Schutz zu nehmen. Gerüchten zufolge hatten Jenkins, Reuschel und einige der anderen Cubs-Pitcher verlauten lassen, dass es Ärger gebe, falls Joe getroffen wurde. Wie sich herausstellte, brauchte Joe gar keine Hilfe. Die Braves hatten einen Springer namens Dutch Patton, einen großen, kräftigen Kerl, der etwa eins fünfundneunzig groß war und mit links pitchte. Als Patton das erste Mal auf dem Wurfhügel stand, schlug Joe einen Double und stahl die dritte Base. Wir waren noch in Chicago, konnten aber keine Karten bekommen, daher sahen wir uns das Spiel im Fernsehen an. Als Joe im dritten Inning an die Plate trat, zielte Patton auf seinen Kopf und hätte ihn fast getroffen. Im Dugout der Cubs war der Teufel los, und die Fans drohten durchzudrehen. Joe brüllte Patton etwas zu, dieser brüllte etwas zurück. Der Schiedsrichter an der Plate schaltete sich ein. Die Lage war angespannt. Joe kehrte in die Box zurück und stellte sich hin. Patton ging in seinen Wind-up. In dem Moment, in dem er den Ball warf, ließ Joe seinen Schläger fallen und sprintete in Richtung Wurfhügel. Er war so schnell, dass alle – auch Patton und Johnny Oates, der Catcher – völlig überrumpelt wurden. Ich habe den Filmausschnitt hundertmal gesehen, es war ziemlich beängstigend, was dann passierte. Patton schaffte es noch, mit seinem Handschuh nach Joe zu schwingen, doch Joe duckte sich und verpasste Patton eine rechte Gerade auf den Mund. Dann brachte er ihn mit einem linken Haken zu Boden und fing an, wie ein Presslufthammer auf ihn einzuschlagen, fünfmal, mitten ins Gesicht, bis Patton blutete. Patton verließ das Feld auf einer Trage, wachte erst nach sechs Stunden wieder auf und musste sich einen Monat erholen, bevor er das nächste Mal pitchen konnte. Irgendwann gelang es Johnny Oates, Joe von Patton herunterzuziehen. Zu diesem Zeitpunkt waren schon vierzig Spieler auf dem Feld, die aufeinander losgingen. Die Schlägerei dauerte zehn Minuten, und es gab sieben oder acht Platzverweise. Joe wurde für fünf Spiele gesperrt, und die Cubs verloren alle fünf.«

Während er spricht, höre ich aufmerksam zu und blättere durch den Ordner. Ich habe eine Kopie des Artikels aus der *Tribune*, auch eine des Fotos, doch mein kleines Scrapbook über Joe Castle ist nichts im Vergleich zu der Fülle an Material vor mir. Ich kenne die Geschichte von Joes Auseinandersetzung mit Dutch Patton, und Clarence hat kein Detail ausgelassen.

»Das Witzige daran – jedenfalls für mich – ist, dass ich das bei Joe schon mal gesehen hatte«, sagt Clarence.

»Wann war das denn?«, frage ich, da er eine Pause einlegt und auf eine Aufforderung meinerseits wartet.

»Als er siebzehn war, bei einem Highschool-Spiel gegen Heber Springs. Es wimmelte nur so von Scouts, die alle gekommen waren, um Joe spielen zu sehen. Als er das erste Mal am Schlag war, schickte er einen Ball über die Scheinwerfermasten im Right Field. Beim zweiten Mal zielte der Pitcher auf seinen Kopf. Joe beherrschte sich und wartete. Wenn man den Wurfhügel stürmt, besteht immer die Gefahr, dass einen der Catcher von hinten zu Boden wirft. Alle drei Castle-Jungen kannten diese Grundregel des Spiels. Joe wartete, bis der Pitcher geworfen hatte, dann sprintete er zum Wurfhügel. Es war ziemlich übel.

Damals waren sie noch Teenager, und die anderen Spieler waren nicht so schnell am Wurfhügel wie in den Profiligen ...« Clarences Stimme verliert sich, als würde er die Geschichte nicht zu Ende erzählen wollen.

»Hat er den Pitcher verletzt?«

»Sagen wir mal so: Der Junge hat ein paar Tage nicht gepitcht, vielleicht eine Woche, vielleicht nie mehr. Ich weiß es nicht, aber ich bin sicher, dass er nie wieder einen Beanball geworfen hat. Joe war kein Raufbold, ganz im Gegenteil; er war ein ausgesprochen netter Junge. Er mochte es nur nicht, wenn ein Pitcher direkt auf ihn zielte.«

»Wer hat die Schlägerei beendet?«

»Die Schiedsrichter. Vom anderen Team hat sich keiner der Spieler in seine Nähe getraut.«

Ich blättere in dem Ordner und komme zur Titelseite der *Sports Illustrated.* »Das hier hat sicher für einige Aufregung in der Stadt gesorgt.«

»O ja, dabei hatten wir in dem Sommer damals schon genug Aufregung. Jeder in der Stadt wollte mit dem Reporter reden. Sie haben nichts mehr zu trinken, Paul.« Er nimmt beide Gläser und geht auf die hintere Veranda. Ich folge ihm und werfe einen Blick in die Küche, wo Fay gerade eine Aubergine in Scheiben schneidet. Als die Gläser wieder voll sind, stopft sich Clarence eine Pfeife und zündet sie an. Mit frischen Lemon Gins in der Hand gehen wir die Treppe an der Rückseite des Hauses hinunter und blicken auf den White River.

»Wo kommt sein Spitzname her?«, frage ich.

Clarence schmunzelt und trinkt einen Schluck. »*Sports Illustrated*, vermute ich mal. Sie waren die Ersten, die ihn ›Calico Joe‹ genannt haben. Und irgendwie blieb der Name hängen. Die Reporter in Chicago haben den Namen übernommen, und seitdem hieß er so. Ein halbes Jahrhundert vorher hatten sie Shoeless Joe, und ich glaube, sie konnten einfach nicht widerstehen.«

»Der Spitzname ist perfekt.«

»Ist er. Oder besser gesagt war er.«

Wir sehen zwei Männern in einem Boot dabei zu, wie sie ihre Angelschnüre auswerfen und in der Strömung treiben lassen.

»Was macht Joe heute?«, frage ich.

»Er kümmert sich um sein Baseballfeld.«

»Sein Baseballfeld?«

»Ja. Das Joe Castle Field, drüben bei der Highschool. Er mäht jeden Morgen das Gras. Er harkt den Boden, entfernt das Unkraut, zieht die Linien nach, kehrt die Dugouts und steht quasi fünf Tage die Woche auf dem Feld. Wenn es schneit, fegt er den Schnee von den Tribünen. Wenn es regnet, sitzt er im Dugout an der dritten Base und sieht zu, wie sich im Infield Pfützen bilden. Wenn der Regen aufgehört hat, gleicht er den Boden aus, damit es beim nächsten Mal keine Pfützen mehr gibt. Um diese Zeit des Jahres, wenn die Sommersaison vorbei ist, streicht er beide Dugouts und die Pressebox. Es ist sein Feld.«

»Könnte ich morgen mit ihm reden?«

»Paul, ich sag's noch mal – ich bin nicht sein Hüter. Sie können tun, was Sie wollen.«

»Aber würde er denn mit mir reden?«

»Das habe ich Ihnen doch schon erklärt. Joe redet nicht mit Fremden.«

»Würde er mit meinem Vater reden, wenn ich ihn herbrächte?«

Clarence hustet und starrt mich an, als hätte ich seine Frau beleidigt. »Sind Sie verrückt geworden?«

»Vielleicht. Clarence, mein Vater wird sterben, und ich möchte, dass die beiden vor seinem Tod miteinander reden.«

»Worüber?«

»Das weiß ich nicht so genau, aber am besten wäre es, wenn mein Vater sich entschuldigen würde.«

»Haben Sie das schon mit Ihrem Vater besprochen?«

»Nein, noch nicht, aber bevor ich mit ihm darüber rede, muss ich wissen, ob Joe mit einem Gespräch einverstanden wäre.«

»Ich glaube wirklich nicht, dass es dazu kommen wird. Und für Warren Tracey wäre es ein großer Fehler, nach Calico Rock zu kommen. Das könnte ziemlichen Ärger geben.«

10

Es dauerte eine Woche, bis mein blaues Auge wieder normal aussah, und die meiste Zeit davon verbrachte ich in meinem Zimmer, mit Lesen und ständigen Blicken in den Spiegel. Mein Vater kam zweimal zu mir und versuchte etwas unbeholfen, Frieden zu schließen, doch ich war nicht in der Stimmung dazu. Wenn man von seinem Vater verprügelt wird, hält der Schmerz weitaus länger an als die blauen Flecken. Zum Glück reisten die Mets zu mehreren Auswärtsspielen ab, und ich wagte mich aus meinem Zimmer und versuchte, den letzten Monat der Sommerferien zu genießen.

Am 8. August gewannen die Mets in Houston mit einem Shutout gegen die Astros. Mein Vater pitchte in sieben Innings, musste nur drei Hits und zwei Walks abgeben und gewann sein fünftes Spiel in der Saison. Ich hörte mir das Spiel in unserem Wohnzimmer an und schrieb wie immer jeden Pitch und jeden Spielzug auf meiner offiziellen Scorecard der Mets mit. Ich wusste, dass es sein bestes Spiel seit Jahren war, und da Lindsey Nelson und Ralph Kiner nur Nettes über meinen Vater sagten, konnte ich nicht umhin, ein kleines bisschen stolz auf ihn zu sein, wenn auch nur widerwillig. Ich war gerade dabei, ins Bett zu gehen, als er anrief und mit mir über das Spiel reden wollte. Wir telefonierten eine halbe Stunde miteinander, in der er mir die Höhepunkte schilderte und geduldig meine Fragen beantwortete. Als wir uns schließlich Gute Nacht sagten, war ich so aufgeregt, dass ich nicht einschlafen konnte. Vier Tage später pitchte er ein Complete Game mit lediglich vier abgegebenen Hits gegen die San Diego Padres und gewann sein zweites Spiel in Folge, was bei Warren Tracey nicht oft vorkam. Da er an der Westküste war, rief er nach dem Spiel nicht mehr an, doch am nächsten Morgen klingelte das Telefon, und wir redeten fast eine Stunde miteinander.

Meine Mutter war glücklich, weil ich glücklich war, doch sie misstraute dem plötzlichen Interesse meines Vaters an mir. Meine blauen Flecken waren verschwunden, und die emotionalen Narben verheilten langsam – jedenfalls glaubte ich das.

In den New Yorker Zeitungen tobte immer noch eine heftige Diskussion darüber, ob Warren Tracey auf die Bank oder in eine der Minor Leagues geschickt werden sollte. Seine beiden Siege nahmen den Kritikern ein wenig den Wind aus den Segeln, trotzdem stand kaum jemand auf seiner Seite. Die Mets kamen langsam in Fahrt, doch es sah ganz danach aus, als könnte kein Team die Cubs einholen. Joe Castle war immer noch Tagesgespräch und in Chicago und dort, wo er gerade spielte, auf allen Titelseiten zu sehen.

Ich rechnete zigmal nach, und wenn es keine plötzlichen Änderungen aufgrund von Verletzungen, schlechten Wetters oder eines Wechsels bei der Pitching-Reihenfolge oder den Line-ups gab, würden die Cubs am Freitag, dem 24. August, im Shea Stadium stehen. Joe Castle würde sein Debüt in New York haben, und mein Vater würde auf dem Wurfhügel stehen. Die Cubs würden dann die Nummer eins in der East Division sein und die Mets aller Wahrscheinlichkeit nach die Nummer zwei. Wenn ich mir das vorstellte – und das tat ich in dem August damals mindestens zehnmal am Tag –, bekam ich ein flaues Gefühl im Magen und brachte nicht einmal mehr einen Schluck Wasser hinunter. Warren Tracey gegen Joe Castle. Die Gefühle für meinen Vater waren mehr als gemischt. Eigentlich hasste ich ihn ja, aber er war mein Vater und ein Profibaseballspieler, der für die New York Mets pitchte! Wie viele elfjährige Jungen konnten das von ihrem Vater behaupten? Wir lebten im selben Haus. Wir hatten dieselben Vorfahren, denselben Namen, dieselbe Adresse. Sein Erfolg oder Versagen hatte direkten Einfluss auf mich. Ich liebte meine Großeltern abgöttisch, obwohl ich sie nur selten sah. Verdammt, er war mein Vater! Ich wollte, dass er gewann.

Doch im Baseball zählte zurzeit nur Joe Castle.

Wenn er spielte, war das Stadion ausverkauft, und häufig waren die Sitze auch schon beim Schlagtraining vor dem Spiel besetzt. Er wurde so sehr von Reportern gejagt, dass er sich versteckte. Bei den Auswärtsspielen der Cubs strömten die Fans in Scharen zu den Hotels der Mannschaft, in der Hoffnung, ein Autogramm zu ergattern oder wenigstens einen Blick auf ihn werfen zu können. Junge Frauen machten ihm Heiratsanträge und andere eindeutige Angebote. Seine Mannschaftskameraden und Coaches dachten sich alles Mögliche aus, um seine Privatsphäre zu schützen. Außerhalb des Stadions herrschte der pure Wahnsinn, doch sobald Joe auf dem Feld stand, spielte er weiterhin wie ein Kind in seiner Freizeit. Er sprintete nach Foul Balls, hechtete zwischen die Zuschauer, machte aus langsamen Singles Doubles, buntete bei zwei Strikes, vereitelte Double Plays, machte bei jedem Fly Ball ins Outfield einen Tag-up, hatte in der Regel das schmutzigste Trikot, wenn das Spiel zu Ende war, und hämmerte dazu noch die ganze Zeit Bälle in alle möglichen Ecken des Feldes.

Die Vorstellung, dass Joe gegen meinen Vater antreten würde, beunruhigte mich, doch in den langen, heißen Augusttagen konnte ich an nichts anderes denken. Meine Freunde bettelten mich um Eintrittskarten an. Die vier Spiele gegen die Cubs waren ausverkauft. New York wartete gespannt.

Die für fünf Spiele geltende Sperre wegen der Schlägerei mit Dutch Patton lief am 17. August ab, und mit viel Sinn für Dramatik kehrte Joe bei einem Nach-mittagsspiel gegen die Dodgers ins Wrigley Field zurück. Im ersten Inning schlug er einen Single, im vierten einen Double, im siebten einen Triple, und als er in der zweiten Hälfte des neunten Innings an die Plate trat, brauchte er nur noch einen Home Run für einen Cycle. Die Cubs benötigten einen Home Run, um das Spiel zu gewinnen. Joe schlug mit rechts einen Blooper ins Right Field, und als der Ball langsam in Richtung Mauer rollte, begann das Rennen. Ron Santo schaffte von der zweiten Base mühelos den Tying Run nach Hause, und als Joe zur dritten sprintete, ignorierte er den Coach, der ihm das Signal zum Anhalten gab. Er wurde einfach nicht langsamer. Der Shortstop nahm den Ball von einem anderen Spieler an, sah zur dritten, an der Joe bei einem Triple sicher gewesen wäre, und zögerte kurz, als er ihn auf dem Weg zur Home Plate sah. Der Wurf war perfekt, und der Catcher, Joe Ferguson, fing ihn und blockte die Plate. Ferguson war eins achtundachtzig groß und wog neunzig Kilo. Joe war eins achtundachtzig groß und wog vierundachtzig Kilo. Innerhalb von Sekundenbruchteilen trafen beide die Entscheidung, keinen Zoll nachzugeben. Joe nahm den Kopf nach unten und warf sich mit einem Hechtsprung gegen Ferguson. Es krachte gewaltig, und beide Spieler wälzten sich auf der Erde. Joe wäre um fast einen Meter draußen gewesen, doch der Ball rollte ins Gras.

Es war ein Inside-the-Park-Home-Run, sein erster,

und ein Wunder, dass sowohl er als auch Ferguson unverletzt von der Plate gehen konnten, wenn auch etwas langsamer als sonst.

Nach einunddreißig Spielen hatte Joe zweiundsechzig Hits in einhundertneunzehn At Bats geschlagen, mit achtzehn Home Runs und fünfundzwanzig gestohlenen Bases. Er hatte einen Error an der ersten Base und nur sechsmal einen Strikeout kassiert. Sein Trefferdurchschnitt von .521 war mit Abstand der höchste in den Major Leagues, allerdings hatte er noch nicht genügend At Bats, um sich für die offizielle Rangliste zu qualifizieren. Wie erwartet sank sein Trefferdurchschnitt allmählich.

Ty Cobb, der beste Hitter aller Zeiten, hatte einen Karrieredurchschnitt von .367, bei Ted Williams waren es .344 und bei Joe DiMaggio .325. Joe Castle wurde noch nicht mit den ganz Großen verglichen, doch kein Rookie hatte je .521 nach einhundertneunzehn At Bats.

Am 20. August hatten die Mets ein Heimspiel gegen die Cardinals, und mein Vater war mit Pitchen an der Reihe. Nach zwei gewonnenen Spielen hintereinander hatte er bei einem Spiel mit nur einem Run gegen die Dodgers verloren und war dann im nächsten von den Giants aufgemischt worden, wobei er eine Niederlage gerade noch verhindern konnte. Sein Record lag bei sechs Wins und sieben Losses, und er war mit seiner aktuellen Form zufrieden. Nach dem obligatorischen Bananen-Milchshake fragte er mich, ob ich mit ihm ins Shea Stadium fahren wolle. Das bedeutete natürlich, dass ich mich Stunden vor dem Spiel in der Kabine, im Dugout und auf dem Feld aufhalten konnte. Ich sagte sofort Ja. Er versprach, mich nach dem Spiel nach Hause zu bringen, was natürlich bedeutete, dass er dann nicht auf Sauftour gehen konnte. Die angespannte Atmosphäre bei uns zu Hause hatte sich etwas gelockert. Meine Eltern waren höflich zueinander, zumindest wenn Jill und ich dabei waren. Das machte es für zwei verunsicherte Kinder wie uns nur noch komplizierter.

Ich saß im Dugout der Mets, sah zu, wie die Cardinals ihr Schlagtraining absolvierten, und genoss den seltenen Moment, als zufällig Willie Mays vorbeikam. »Na, mein Junge, was hat dich denn hergeführt?«

»Mein Dad pitcht heute«, erwiderte ich ehrfürchtig.

»Tracey?«

»Ja, Sir.«

Und dann setzte sich Willie Mays neben mich auf die Bank, als hätte er alle Zeit der Welt. »Ich weiß deinen Namen nicht mehr«, sagte er.

»Paul Tracey«, antwortete ich.

»Schön, dich wiederzusehen, Paul.«

Ich wollte etwas sagen, brachte aber keinen Ton heraus.

»Dein Dad pitcht zurzeit ganz gut«, meinte er. »Er hat mir, glaube ich, mal erzählt, dass du auch als Pitcher spielst.«

»Ja, Sir, aber unsere Spielzeit ist schon vorbei. Nächstes Jahr bin ich zwölf.«

Lou Brock von den Cardinals war im Schlagkäfig und schlug am laufenden Band Bälle. Wir sahen ihm dabei zu, wie er ein Dutzend Schwünge absolvierte, dann unterhielt sich Willie mit einem der anderen Spieler, der gerade vorbeikam. Als wir wieder allein waren, setzte er unser Gespräch fort. »Ich wollte nie pitchen. Um dabei Erfolg zu haben, muss man sich auf zu viele andere Spieler verlassen. Man kann einen richtig guten Tag haben, und dann, einfach so, macht jemand einen Fehler, und man verliert das Spiel.«

»Ja, Sir.« Ich hätte allem zugestimmt, was Mr. Mays zu sagen hatte.

»Oder man wirft zwanzig Strikeouts, muss zwei Hits abgeben und verliert das Spiel eins zu null. Weißt du, was ich meine, Paul?«

»Ja, Sir.«

»Außerdem habe ich es nie geschafft, Strikes zu werfen, was beim Pitchen nicht so gut ist.«

»Das passiert mir auch manchmal«, sagte ich, und Willie Mays lachte laut. Er tätschelte mir das Knie. »Viel Glück, Paul.«

»Danke, Mr. Mays.«

Dann sprang er auf und brüllte einem der Cardinals etwas zu. Ich starrte lange auf mein Knie und schwor mir, meine Jeans nie wieder zu waschen. Einige Minuten später setzten sich Wayne Garrett und Ed Kranepool in meine Nähe und sahen dem Schlagtraining zu. Ich rutschte ein Stück in ihre Richtung, damit ich hören konnte, was sie sagten.

»Hast du schon gehört, was Castle heute gemacht hat?«, fragte Garrett, während er Kaugummi kaute.

»Nein«, erwiderte Kranepool.

»Vier in vier mit zwei Doubles, gegen Don Sutton.«

»Gegen Sutton?«, fragte Kranepool ungläubig.

»Genau. Und ich dachte, der Junge wird langsam mal schlechter.«

»Anscheinend nicht. Das dürfte ein heißes Wochenende werden. Hast du noch ein paar Karten?«

»Soll das ein Witz sein?«

Ich saß ganz allein acht Reihen vom Feld entfernt auf der Tribüne, in der Nähe des Dugout der Mets. Mein Vater musste im ersten Inning einen Home Run an Joe Torre abgeben, dann fing er sich wieder und pitchte gut. In der ersten Hälfte des siebten Innings – die Mets führten 5:2 – ging ihm allmählich die Puste aus, und als Yogi Berra ihn auswechselte, bekam er viel Applaus von den Zuschauern. Ich sprang auf und klatschte und brüllte so laut wie möglich. Er grüßte mich mit der Hand am Helm, und in diesem Moment wurde mir klar, wie sehr ich ihn bewundern wollte.

Sein Win-Loss-Record war jetzt sieben und sieben. Und im nächsten Spiel würde er gegen die Cubs pitchen.

11

Nach zwei Lemon Gins bin ich leicht benebelt und habe genug. Clarence scheint der Alkohol nichts auszumachen. Als er uns ein drittes Glas holen möchte, lehne ich ab und bitte um Wasser. Fay eilt geschäftig hin und her und deckt auf der hinteren Veranda den Tisch zum Essen. Die Sonne geht unter, und ihre letzten Strahlen glitzern auf dem White River unter uns. Clarence und ich setzen uns unter einen Ahorn neben dem Gemüsegarten und reden über die Jungen der Familie Castle.

Ihr Großvater, Vick Castle, wurde 1906 von den Cleveland Indians unter Vertrag genommen und schaffte es fünf Jahre später in die Major Leagues, allerdings nicht einmal für einen ganzen Monat. Nach zehn Spielen wurde er wieder in ein Team der Minor Leagues geschickt. Nach der Saison wurde er getauscht, dann brach er sich den Knöchel, und seine Karriere war zu Ende. Er kehrte ins Izard County zurück und leitete ein Sägewerk, bis er mit vierundvierzig starb. Bobby, sein einziger Sohn und Joes Vater, unterschrieb 1938 bei den Pittsburgh Pirates und war 1941 in den Kategorien Hits und RBIs – Runs Batted In – der beste Spieler der AAA International League. 1942 sollte er eigentlich für die Pirates an der dritten Base spielen, doch der Krieg kam dazwischen. Er ging zur Navy und wurde in den Pazifik geschickt, wo er durch eine Landmine ein Bein bis zum Knie verlor.

Sein ältester Sohn, Charlie, wurde schon an der Highschool von den Washington Senators unter Vertrag genommen und spielte sechs Jahre für verschiedene Minor-League-Mannschaften, bevor er seine Karriere beendete. Red, der mittlere Bruder, wurde 1966 von den Phillies unter Vertrag genommen, schaffte es aber nie über eine A-Mannschaft hinaus. Er hörte mit Baseball auf, ging zu den Marines und meldete sich freiwillig für zwei Einsätze in Vietnam.

Clarence hat Spaß daran, mir das alles zu erzählen, und muss keine Notizen zu Hilfe nehmen. Ich wundere mich über sein gutes Gedächtnis, kann aber auch nicht überprüfen, ob alles bis ins Detail stimmt. Mit seinen funkelnden Augen und buschigen Brauen hat er etwas an sich, das bei mir den Eindruck entstehen lässt, er schmückt hin und wieder gern etwas aus. Aber das macht nichts. Er erzählt gern Geschichten, und die Familie Castle ist offenbar eines seiner Lieblingsthemen. Ich bin froh, dass ich hier sein kann, und höre ihm mit Vergnügen zu.

»Selbst als Charlie und Red bei den Profis spielten«, sagt er jetzt, »redeten alle nur über Joe. Als er noch ein kleiner Junge war, mit zehn oder so, schlug er in einem Spiel gegen Mountain Home vier Home Runs. Das war das erste Mal, dass sein Name in der Zeitung stand. Ich bin ins Archiv gegangen und habe es rausgesucht. 1973 wurde ich mit Anfragen überschüttet, weil alle Hintergrundmaterial über Joe Castle haben wollten. Damals habe ich den halben Sommer damit zugebracht, alte Ausgaben durchzulesen. Als er zwölf war, hat er mit unserer All-Star-Mannschaft den dritten Platz in Little Rock gemacht, und ich habe auf der Titelseite einen Riesenartikel über das Team gebracht, mit einem großen Foto und allem, was dazugehört. Als er dreizehn war, hat er aufgehört, mit den Jugendlichen zu spielen, und den ganzen Sommer mit einer Männermannschaft trainiert. Joe spielte an der ersten Base, Red an der zweiten, Nummer drei und vier im Line-up, und es müssen etwa hundert Spiele gewesen sein. Da ist uns dann klar geworden, dass aus ihm etwas Besonderes werden könnte. Die ersten Scouts tauchten auf, als er fünfzehn war. Charlie spielte in den Minor Leagues, Red spielte in den Minor Leagues, aber alle redeten nur über Joe. Im Mai 1966 berichtete ich über ein Entscheidungsspiel unten in Searcy, und Joe schlug einen Ball, der von einem Schulbus auf dem Parkplatz vor dem Feld abprallte, einhundertachtundzwanzig Meter von der Home Plate entfernt. Können Sie sich das vorstellen? Ein sechzehnjähriger Junge schlägt einen 128-Meter-Home-Run, mit Holz, nicht mit Aluminium. Die Scouts sahen ihm mit offenem Mund zu und schüttelten ungläubig den Kopf. Es war einfach unglaublich.«

»Clarence, das Essen ist fertig«, ruft Fay von der Veranda, und das lassen wir uns nicht zweimal sagen. Seit meinem Mittagessen, einem Sandwich, sind schon über acht Stunden vergangen. Fay hat direkt unter einem der Ventilatoren einen kleinen, runden Tisch gedeckt, auf dem eine Vase mit frisch geschnittenen Blumen steht. Ich sehe eine große Schüssel mit einem Salat aus Tomaten, Gurken und Zwiebeln und eine zweite mit gegrillten Zucchini und Auberginen auf Naturreis. »Vor zwei Stunden war das alles noch im Garten«, sagt Fay, während sie auf das Essen deutet.

Wir lassen die Schüsseln herumgehen und beginnen zu essen. Ich sollte jetzt eigentlich ihre Arbeit als Künstlerin ansprechen, tue es dann aber doch nicht. Einen Besuch wie diesen wird es kein zweites Mal geben, und ich möchte über Joe Castle reden. Nach ein wenig Geplauder über meine Frau, meine Töchter und meine Arbeit gelingt es mir, das Gespräch wieder auf Baseball zu bringen.

»Wie war das 1970, als es Zeit für den Draft war?«, frage ich.

Clarence kaut, schluckt und trinkt einen Schluck Wasser. »Verrückt. Wir dachten, er würde als Erster unter Vertrag genommen werden, zumindest hatten das die Scouts zwei Jahre lang gesagt«, erwidert er dann.

»Hier dachten alle, er würde reich werden«, fügt Fay hinzu.

»Spieler, die gleich zu Beginn des Drafts unter Vertrag genommen wurden, konnten damals bis zu einhunderttausend Dollar bekommen. Falls Sie es noch nicht bemerkt haben – wir leben hier in einer Kleinstadt. Die Leute haben ganz offen darüber geredet, was Joe alles mit seinem Geld anstellen würde. Und dann passierte etwas sehr Merkwürdiges. Ende Mai stand Calico Rock in der Endrunde des State Tournament, drüben in Jonesboro, und Joe spielte zweimal schlecht. Er hatte zehn Jahre lang kein schlechtes Spiel mehr gehabt, und dann, bums, gleich zwei nacheinander. Einige der Scouts haben wohl kalte Füße bekommen. Die Cubs nahmen ihn in der zweiten Runde, boten ihm fünfzigtausend Dollar, und das war's.«

»Was ist mit dem Geld passiert?«, frage ich.

»Fünftausend Dollar hat er seiner Kirchengemeinde gespendet«, klärt Fay mich auf. »Und die Highschool hat auch fünftausend Dollar bekommen, stimmt's, Clarence?«

»Das kommt ungefähr hin. Weitere fünftausend wurden verwendet, um das Baseballfeld der Little League in Schuss zu bringen, wo er so oft gespielt hatte. Und er hat wohl auch die Hypothek auf das Haus seiner Eltern abbezahlt, was aber nicht sehr viel war.«

»Keine neue Corvette?«, erkundige ich mich.

»O nein. Er hat für zweitausend Dollar Hank Thatchers alten Ford Pick-up gekauft. Hank war gerade gestorben, und seine Frau verkaufte ein paar von seinen Sachen. Den Pick-up wollte sie nicht behalten, also hat Joe ihn gekauft.«

Das ist einer der Gründe dafür, warum ich nicht in einer Kleinstadt leben will. In einer Großstadt würde man nie über derart private Dinge sprechen. Man wüsste nicht einmal etwas davon.

Ich kann mich nicht daran erinnern, wann ich das letzte Mal so frisches Gemüse gegessen habe. Sara kocht sehr gesund, aber so gut haben mir Zucchini und Auberginen noch nie geschmeckt. »Das Essen ist hervorragend«, sage ich zum zweiten oder dritten Mal.

»Das freut mich«, antwortet Fay. Mir fällt auf, dass sie nur sehr wenig isst. Clarence spült sein Essen mit Wasser hinunter, doch der Lemon Gin ist immer in Reichweite. Zwei Fischkutter tuckern leise über den Fluss und fahren auf den kleinen Hafen zu, der in einiger Entfernung unter der Brücke liegt. Wir reden über Fays Schwester in Missouri, die unheilbar an Krebs erkrankt ist und möchte, dass die beiden am Wochenende zu Besuch kommen. Das bringt das Gespräch wieder auf meinen Vater.

»Wann hat er die Diagnose bekommen?«, erkundigt sich Fay.

»Vorige Woche. Krebs im Endstadium. Er hat nur noch ein paar Monate, vielleicht sind es auch nur noch ein paar Wochen.«

»Das tut mir leid«, sagt sie.

»Haben Sie ihn schon besucht?«, fragt Clarence.

»Nein. Ich fliege morgen nach Florida. Wie ich schon sagte, standen wir uns nie sehr nahe. Er hat die Familie verlassen, als seine Karriere den Bach runterging, und kurze Zeit später wieder geheiratet. Mein Vater ist kein netter Mensch, Clarence, er gehört nicht zu den Männern, mit denen man seine Zeit verbringen möchte.«

»Das glaube ich Ihnen gern. Vor ein paar Jahren habe ich mal einen Artikel über ihn gelesen. Nach dem Ende seiner Baseballkarriere hat er versucht, Profigolfer zu werden, was ihm aber nicht gelang. Anscheinend hat er dann ohne viel Erfolg Immobilien in der Nähe von Orlando verkauft. Er hat darauf beharrt, dass er nicht auf Joe gezielt habe, doch der Reporter hatte so seine Zweifel. Ich glaube, wir haben alle unsere Zweifel.«

»Die sind auch berechtigt«, sage ich.

»Und warum?«

Ich wische mir mit einer Leinenserviette über den Mund. »Weil er auf Joe gezielt hat. Ich weiß, dass es so war. Er leugnet es seit dreißig Jahren, aber ich weiß, was passiert ist.«

Eine lange Pause entsteht, in der wir in unserem Essen herumstochern und dem Surren der alten Ventilatoren über uns zuhören. Schließlich greift Clarence zu seinem Glas und kippt ein paar Fingerbreit Lemon Gin hinunter. Dann fährt er sich mit der Zunge über die Lippen. »Sie haben keine Ahnung, wie aufgeregt wir alle waren, wie viel es der Stadt und vor allem seiner Familie bedeutet hat. Nach so vielen großartigen Spielern dieses Namens hatte es ein Castle endlich einmal ganz nach oben geschafft«, sagt er.

»Ich wünschte, ich könnte sagen, dass es mir leidtut.«

»Wie könnten Sie? Sie sind nicht daran schuld. Außerdem ist es jetzt dreißig Jahre her.«

»Das ist eine lange Zeit«, bemerkt Fay, während sie auf den Fluss starrt. Eine lange Zeit, schon möglich, aber man würde es nie vergessen.

»Ich schätze, Sie waren nicht dabei«, sagt Clarence.

»Doch, ich war dabei. Am 24. August 1973. Im Shea Stadium.«

12

Mein Vater war schlecht gelaunt, als er aus dem Haus ging – allein. Ich hatte mehr als einmal angedeutet, dass ich gern mit ihm zusammen zum Stadion fahren würde, doch er hörte mir gar nicht zu. Die New Yorker Zeitungen machten einen Riesenwirbel um das Spiel, und ein Reporter – der schärfste Kritiker meines Vaters – beschrieb das Match als »Gegenüberstellung von Jugend und Alter. Warren Tracey, der vierunddreißig ist und seine beste Zeit schon hinter sich hat, gegen Joe Castle, den vielversprechendsten jungen Baseballstar, seit Mickey Mantle 1951 von den New York Yankees unter Vertrag genommen wurde.«

Jill war in einem Ferienlager in den Catskills Mountains. Ich überredete meine Mutter dazu, mit mir in die Stadt zu fahren und einen früheren Zug zu nehmen. Ich wollte mir das Schlagtraining ansehen und vor allem einen ersten Blick auf Joe Castle werfen. Um 16.30 Uhr stiegen wir aus der U-Bahn, zweieinhalb Stunden vor dem ersten Pitch. Die Atmosphäre vor dem Shea Stadium war spannungsgeladen. Ich war überrascht, dass so viele Fans der Cubs gekommen waren. Die meisten von ihnen trugen weiße Spielertrikots mit der Nummer 15 auf dem Rücken. Darunter waren einige Familien, die sich sehr gesittet benahmen, aber auch viele junge Männer, die in Gruppen auftraten und wie Straßengangs umherzogen, herumbrüllten, Bier tranken und Streit suchten. Den sie auch fanden. Die New Yorker Fans waren alles andere als schüchtern und gingen nur selten einer Herausforderung aus dem Weg. Ich sah, wie die Polizei drei Schlägereien auflöste, bevor wir an den Drehkreuzen vorbei waren. »Das ist ja widerlich«, sagte meine Mutter. Es sollte ihr letzter Besuch in einem Baseballstadion sein.

Das Shea hatte fünfundfünfzigtausend Sitze und war bereits zu zwei Dritteln voll, als wir unsere Plätze einnahmen. Die Cubs waren gerade mit dem Schlagtraining an der Reihe, und um den Käfig an der Home Plate drängte sich eine dichte Menge. Ron Santo, Billy Williams, Jose Cardenal und Rick Monday waren in einer Gruppe, und während sie sich am Schlag abwechselten, wanderte mein Blick über das Outfield, bis ich *ihn* sah. Als er sich umdrehte, um einem Fly Ball hinterherzujagen, sah ich den Namen »Castle« auf dem Rücken seines königsblauen Trikots. Er fing den Ball an der Foul-Linie des Right Field, und unzählige Kinder brüllten nach einem Autogramm. Er lächelte und winkte und lief zu einer Gruppe von Cubs-Spielern, die im Right Center herumstanden und sich vermutlich über die Frauen auf der Tribüne am Outfield unterhielten.

Inzwischen hatte ich viele Beschreibungen von Joe Castle gelesen. Als er noch in der Highschool war, hatten einige Scouts befürchtet, er wäre zu dünn. Mit achtzehn hatte er siebenundsiebzig Kilo gewogen, was einige der Experten für bedenklich wenig hielten. »Er muss sich noch nicht mal rasieren. Lasst den Jungen doch erst mal wachsen«, hatte sein Vater daraufhin angeblich gesagt. Und er hatte recht gehabt. Während seiner Zeit in den Minor Leagues war Joe schwerer und muskulöser geworden, dank einer Kombination von natürlichem Wachstum und stundenlangem Gewichtheben. Er hatte breite Schultern und eine schmale Taille. Seine Baseballhose saß sehr eng, und in einem Artikel in der *Tribune* war davon die Rede, dass er aus dem ganzen Land anzügliche Briefe von Frauen bekam.

Joe schien über das Outfield zu gleiten, während um ihn herum die Schläger krachten und die Bälle in alle möglichen Richtungen flogen. Dann sah ich meinen Vater im Dugout der Mets. Er saß ganz allein da und tat das, was er vor einem Spiel immer tat. Allerdings war es noch viel zu früh, um in den Bullpen zu gehen und sich aufzuwärmen. Es war ungewöhnlich, dass er sich schon im Dugout aufhielt. Zwei Stunden vor dem Spiel war er normalerweise in der Kabine und ließ sich massieren. Neunzig Minuten vor dem Spiel zog er sich um. Fünfundsiebzig Minuten vor dem Spiel verließ er die Kabine, ging durch den Dugout und lief in Richtung Bullpen, den Kopf gesenkt, ohne einen einzigen Blick auf den Dugout der gegnerischen Mannschaft zu werfen. Je länger ich darüber nachdachte, desto merkwürdiger kam es mir vor. Baseballspieler – und ganz besonders Pitcher – sind Fanatiker, wenn es um ihre Rituale geht. Mein Vater hatte einen Record von drei und eins aus seinen letzten sechs Spielen und vier Tage zuvor sein vielleicht bestes Spiel der letzten fünf Jahre gepitcht. Warum hätte er etwas ändern sollen?

Meine Mutter kaufte mir ein Programm als Souvenir, dann ein Eis, und ich unterhielt mich mit den Fans, die um uns herum saßen. Schließlich ging Joe zum Dugout der Cubs, der unseren Sitzen direkt gegenüberlag. Er holte seine Schläger, setzte seinen Helm auf und begann mit dem Aufwärmen. Um den Tribünen nicht zu nahe zu kommen, blieb er in der Nähe des Schlagkäfigs. Als er an der Reihe war, sprang er in den Käfig, buntete ein paarmal und fing dann an, Bälle auf das gesamte Feld zu schlagen. Umstehende kamen näher. Fotografen balgten sich um die besten Plätze und machten am laufenden Band Bilder von ihm. In der zweiten Runde drehte er auf, und die Bälle wurden immer weiter. In der dritten Runde schlug er richtig zu, von beiden Seiten der Plate, und hämmerte fünf harte Fastballs auf die offene Tribüne, wo Hunderte Kinder versuchten, die Bälle als Souvenir zu fangen. Die Fans der Cubs jubelten bei jedem Schlag, und um ein Haar hätte ich mit eingestimmt, doch ich saß zwischen den Fans der

Mets. Außerdem war mein Vater der Pitcher der gegnerischen Mannschaft, und es schien einfach nicht richtig zu sein.

Als mein Vater in der ersten Hälfte des ersten Innings zum Wurfhügel ging, bereiteten ihm die Fans ein lautstarkes Willkommen. Das Stadion war bis auf den letzten Platz besetzt, und seit über einer Stunde hatten sich die Fans der Cubs und der Mets gegenseitig angebrüllt. Als Rick Monday beim ersten Pitch einen Line Drive zum Shortstop schlug, gab es donnernden Applaus im Stadion. Zwei Pitches später schlug Glenn Beckert einen Pop-out ins Right Field, und Warren Tracey kam langsam in Fahrt.

»Am Schlag und an der ersten Base jetzt die Nummer 15, Joe Castle«, verkündete der Stadionsprecher.

Ich holte tief Luft und fing an, auf meinen Fingernägeln herumzukauen. Ich wollte zusehen, dann wieder wollte ich die Augen schließen und nur zuhören. Meine Mutter tätschelte mir das Knie. Ich beneidete sie um ihre Teilnahmslosigkeit. In einem entscheidenden Moment in meinem Leben, im Leben ihres Mannes, im Leben zahlloser Fans der Mets und Cubs im ganzen Land, in einem der spannendsten Momente in der Geschichte des Baseballs war es meiner Mutter völlig egal, was als Nächstes passieren würde.

Der erste Pitch kam hoch und schnell, was keine Überraschung war. Joe, der mit links schlug, duckte sich, stürzte aber nicht. Mein Vater bekam auch keinen wütenden Blick ab. Es war ein einfacher

Brushback. Willkommen in New York. Der zweite Pitch war ein Called Strike, der ziemlich niedrig aussah, doch Joe reagierte nicht. Der dritte Pitch war ein Fastball, den er auf die Tribüne in unserer Nähe schlug. Der vierte Pitch kam niedrig und nah an den Körper. Der fünfte Pitch war ein Changeup, der Joe in die Irre führte, doch er schaffte es, einen Foul Ball daraus zu machen.

Ich hielt bei jedem Pitch den Atem an. Ich betete um einen Strikeout, und ich betete um einen Home Run. Warum konnte ich nicht beides haben? Jetzt einen Strikeout für meinen Vater, später einen Home Run für Joe? Im Baseball bekommt man immer eine zweite Chance, richtig? Zwischen den Pitches dachte ich darüber nach, und nach kurzer Zeit war ich ein nervliches Wrack.

Der sechste Pitch war ein Curveball, der auf dem Boden abprallte. Drei Balls, zwei Strikes. Billy Williams als Nächster am Schlag. Das Shea Stadium tobte. Die Cubs standen mit zehn Spielen Vorsprung an erster Stelle der East Division. Die Mets lagen zehn Spiele zurück, waren aber am Gewinnen. Mein Vater gegen meinen Helden.

Joe schlug die nächsten acht Pitches aus dem Feld heraus, und aus dem At Bat wurde ein dramatisches Duell, in dem keiner der beiden Spieler auch nur einen Zoll nachgab. Warren Tracey würde keinen Walk abgeben. Joe Castle würde keinen dritten Strike kassieren. Der fünfzehnte Pitch war ein Fastball, der ziemlich niedrig aussah, doch in letzter Sekunde riss Joe den Schläger herum, ging den Ball an und hämmerte ihn ins Right Center, wo er zehn Meter hoch über die Begrenzung flog. Aus irgendeinem Grund sah ich wieder zum Wurfhügel, als ich wusste, dass der Ball draußen war, und beobachtete meinen Vater. Sein Blick folgte Joe, während dieser die erste Base umrundete. Als der Ball über den Zaun flog, stieß Joe kurz die Faust in die Luft, wie um zu sagen: »Gut gemacht!« Es war nicht arrogant oder unverschämt, es sollte den Pitcher nicht schlecht aussehen lassen.

Doch ich kannte meinen Vater, und ich wusste, dass es Ärger geben würde.

Dies war Joes einundzwanzigster Home Run in achtunddreißig Spielen, und es sollte sein letzter sein.

Es stand 1:1, als Joe in der ersten Hälfte des dritten Innings bei zwei Outs und leeren Bases an die Plate trat. Der erste Pitch war ein Fastball, der außerhalb der Strike Zone war. Als ich das sah, wusste ich, was passieren würde. Der zweite Pitch wurde genauso geworfen wie der erste, schnell und dreißig Zentimeter außerhalb. Ich wollte aufstehen und »Pass auf, Joe!« brüllen, doch ich konnte mich nicht bewegen. Als mein Vater vom Wurfhügel aus zu Jerry Grote, dem Catcher, sah, setzte mein Herzschlag aus, und mir stockte der Atem. »Er wird ihn treffen«, sagte ich zu meiner Mutter.

Der Beanball schoss direkt auf Joes Helm zu, und eine Sekunde lang, eine unendliche, furchtbare Sekunde lang, über die Fans und Reporter noch Jahrzehnte später sprechen und diskutieren sollten, bewegte sich Joe nicht. Er verlor den Ball aus den Augen. Aus irgendeinem Grund, den niemand – und Joe schon gar nicht – verstehen oder erklären oder rekonstruieren konnte, verlor er den Ball einfach aus den Augen. Er hatte einmal gesagt, dass er lieber von links schlage, da sein rechtes Auge die Pitches schneller erkenne, doch in diesem entscheidenden Sekundenbruchteil ließen ihn seine Augen im Stich. Vielleicht war etwas hinter der Begrenzung am Center Field. Vielleicht ein plötzlicher Schatten. Vielleicht hatte er den Ball aus den Augen verloren, als dieser zwischen dem weißen Trikot meines Vaters und der Home Plate durch die Luft raste. Vielleicht hatten ihn die Bewegungen von Felix Millan, dem Second Baseman, abgelenkt. Niemand würde es je erfahren, denn Joe sollte sich später an nichts erinnern können.

Das Geräusch, wenn ein Baseball aus Leder auf einen Schlaghelm aus Kunststoff trifft, ist unverkennbar. Ich hatte es bei meinen Spielen schon mehrmals gehört, unter anderem zweimal, als ich einen Batter aus Versehen getroffen hatte. Ich hatte es vor einem Monat im Shea Stadium gehört, als Bud Harrelson einen Beanball abbekommen hatte. Ich hatte es im Sommer zuvor bei einem Minor-League-Spiel gehört, das ich mit Tom Sabbatini und seinem Vater besucht hatte. Es ist kein scharfer Knall, sondern eher so, als würde ein stumpfer Gegenstand auf eine harte

Oberfläche treffen. Es ist ein furchtbares Geräusch, doch wenn man es hört, denkt man sofort, dass der Helm schwere Verletzungen verhindert.

Aber das Geräusch, als Joe getroffen wurde, war anders. Was wir hörten, war der dumpfe Aufschlag eines Baseballs, der Fleisch und Knochen zermalmt. Zuschauer, die nahe genug am Feld saßen, um das Geräusch zu hören, sollten es nie wieder vergessen.

Ich konnte es hören. Und heute höre ich es immer noch.

Der Ball traf Joe am rechten Augenwinkel und riss ihm den Helm vom Kopf, als er nach hinten kippte. Beim Fallen stützte er sich mit beiden Händen ab und lag eine Sekunde mit offenen Augen da, bevor er das Bewusstsein verlor.

Was dann passierte, ist mir in vielen einzelnen Bildern in Erinnerung geblieben. Die Zuschauer waren fassungslos, viele riefen »O mein Gott!«. Der Schiedsrichter an der Home Plate winkte Unterstützung herbei. Jerry Grote stand hilflos vor Joe. Die Bank der Cubs war kurz davor zu explodieren; mehrere Spieler waren bereits aus dem Dugout gestürmt und brüllten Warren Tracey an. Die Fans der Cubs buhten laut. Die Fans der Mets waren verstummt. Mein Vater ging langsam zu einer Stelle hinter dem Wurfhügel und nahm den Handschuh ab. Dann stemmte er beide Hände in die Hüften und starrte auf die Home Plate. Ich hasste ihn.

Während sich die Trainer über Joe beugten und wir warteten, schloss ich die Augen und betete, dass er aufstehen würde. Dass er es einfach so abschütteln würde. Dass er zur ersten Base laufen würde. Und dass er irgendwann in diesem Spiel den Wurfhügel stürmen und meinem Vater eine verpassen würde wie Dutch Patton. Meine Mutter starrte fassungslos auf das Spielfeld, dann auf mich. Mir standen die Tränen in den Augen.

Minuten verstrichen, doch Joe stand nicht auf. Wir konnten seine Stollenschuhe und seine Hose von den Knien abwärts sehen, und einmal schienen seine Füße zu zucken, als hätte er einen Anfall. Die Fans der Cubs fingen an, Abfall auf das Spielfeld zu werfen, was die Wachleute aktiv werden ließ. Jerry Grote ging am Wurfhügel vorbei und stellte sich neben seinen Pitcher. Ich beobachtete meinen Vater, und plötzlich bemerkte ich etwas, was mich nicht überraschte. Während Joe am Boden lag, bewusstlos, schwer verletzt und von Krämpfen geschüttelt, sah ich meinen Vater lächeln.

Am Right Field wurde ein Tor geöffnet, und ein Rettungswagen fuhr herein. Er blieb in der Nähe der Home Plate stehen, eine Trage wurde herausgeholt, und plötzlich entstand noch größere Unruhe unter den Ärzten, Sanitäter und Trainer. Wie auch immer es Joe gerade ging, sein Zustand verschlechterte sich. Schnell wurde er in den Rettungswagen geladen und weggefahren. Alle fünfundfünfzigtausend Fans im Stadion erhoben sich von ihren Sitzen und applaudierten, obwohl Joe nichts hörte.

Während der Spielunterbrechung hatten die Cubs Zeit, die verschiedenen Möglichkeiten zu überdenken. Warren Tracey hatte in der zweiten Hälfe des zweiten Innings drei Strikes kassiert und war damit out gewesen, daher würde er erst im fünften Inning wieder am Schlag stehen. Weil Ferguson Jenkins für die Cubs pitchte, zweifelte niemand, der etwas von Baseball verstand, auch nur eine Sekunde daran, dass sich mein Vater dann einen Beanball einfangen würde. Die Vergeltung würde schnell und hoffentlich – zumindest aus Sicht der Cubs – brutal und schmerzhaft sein. Allerdings kam Yogi Berra vielleicht auf die Idee, Tracey gegen einen Reliever auszuwechseln, was sämtliche Vergeltungsmaßnahmen vereiteln würde. Die Cubs hatten auch die Möglichkeit, sich in der zweiten Hälfte des dritten Innings zu revanchieren, indem sie einen oder zwei von den Hittern der Mets verprügelten. Das würde dann vermutlich zu einer Massenschlägerei führen, was vermutlich genau das war, was die Cubs wollten, als sie zusahen, wie ihr gefallener Star in einem Rettungswagen aus dem Stadion gefahren wurde. Das Problem bei einer Schlägerei war, dass das Ziel der Begierde dann schon im Dugout in Sicherheit war. Die Cubs wollten den Kopf von Warren Tracey, und ihr Manager, Whitey Lockman, dachte sich die perfekte Lösung dafür aus. Als Ersatzmann für Joe wurde ein Teilzeitspieler namens Razor Ruffin eingewechselt, ein zäher Schwarzer aus einem Getto von Memphis, der dem Elend entkommen war, indem er

an der Michigan State University Football und Baseball gespielt hatte. Er war wie ein Stier gebaut und
konnte rennen wie ein Hase, doch die Cubs hatten
inzwischen festgestellt, dass er Schwierigkeiten bei
mit links geworfenen Pitches hatte. Ruffin ging aufs
Feld und ließ sich mit dem Aufwärmen an der ersten
Base sehr viel Zeit.

Aufgrund des Beanballs wurde das Spiel für dreißig Minuten unterbrochen, und nachdem Joe Castle
weggebracht worden war, erlaubte der Schiedsrichter Warren Tracey ein paar Würfe zum Aufwärmen.
Die Stimmung im Stadion war gedrückt. Die Fans der
Mets waren unruhig, die Fans der Cubs vom vielen
Schreien und Buhen völlig erschöpft. Billy Williams
trat an die Plate und stellte sich in die linke Box. Williams, der später in die Hall of Fame gewählt werden
sollte, war ein sehr gelassener Typ, doch in dieser
Situation würde es bei jedem Pitch, der auch nur in
die Nähe seines Kopfs kam, Ärger geben. Razor Ruffin löste sich einige Schritte von der Base, blieb aber
in der Nähe des Kissens. Er war nicht eingewechselt
worden, um eine Base zu stehlen. Er sollte sich prügeln. Die beiden ersten Pitches von Warren Tracey
lagen weit außerhalb der Strike Zone. Er hatte seinen
Rhythmus verloren und pitchte nicht, er warf nur.
Bei einem Count von 2 und 2 schlug Williams einen
langsamen Pop Fly ins Center Field, das dritte Out.
Als klar war, dass Don Hahn den Ball fangen würde,
rannte Razor Ruffin zum Wurfhügel. Während Warren Tracey den Fly Ball im Auge behielt, hechtete

Ruffin von hinten gegen seine Knie und schob ihn in Richtung der dritten Base. Dann begann Ruffin, mit beiden Fäusten auf ihn einzuschlagen. Die Cubs, die den Plan natürlich kannten, warfen sich auf Tracey und Jerry Grote. Die übrigen Spieler der Mets waren ein paar Schritte entfernt, doch innerhalb von Sekunden war eine der hässlichsten Schlägereien im Gange, die der Baseball je gesehen hatte. Fäuste wurden eingesetzt, um alte Rechnungen zu begleichen. Muskelbepackte Körper landeten krachend auf dem Rasen, als vier Dutzend durchtrainierte Sportler aufeinander einschlugen und versuchten, sich gegenseitig mit bloßen Händen umzubringen. Ganz unten in dem Haufen von Körpern steckten Razor Ruffin und Warren Tracey fest, die nach Luft rangen und Blut sehen wollten. Den Schiedsrichtern gelang es nicht, die Mannschaften voneinander zu trennen. Wachleute rannten auf das Feld. Normalerweise versuchten in solchen Fällen die Coaches, ihre Spieler voneinander herunterzuziehen, doch nicht bei dieser Schlägerei. Als die Prügelei weiterging, rasteten die Fans aus, und das Shea Stadium schien kurz vor dem Ausbruch von Krawallen zu stehen. Chaos herrschte, bis es einigen erfahrenen Spielern beider Teams – Ron Santo, Rusty Staub, Billy Williams und Tom Seaver – gelang, ihre Mannschaftskameraden auseinanderzuziehen. Nachdem der Stapel abgetragen worden war, sprang Warren Tracey mit blutender Nase auf die Füße und zeigte auf einen der Cubs. Die Schiedsrichter schoben ihn weg, und zwei seiner Mannschaftskameraden zerrten ihn in den Dugout. Er fluchte, brüllte und blutete, bis er verschwand. Die Ordnung auf dem Spielfeld war wiederhergestellt. Beide Manager bekamen einen Platzverweis, außerdem Tracey, Ruffin und sechs weitere Spieler aus den Teams.

Während das Spiel fortgesetzt wurde, war ich wie betäubt und konnte nicht mehr klar denken. Ich hatte einen Albtraum erlebt – der Beanball, der Joe Castle getroffen hatte, gefolgt von dem emotionalen Schock, mit ansehen zu müssen, wie mein Vater von einer ganzen Baseballmannschaft verprügelt wurde. Auch meine Mutter hatte genug. »Ich möchte jetzt gehen«, flüsterte sie. »Ich auch«, sagte ich.

Wir fuhren mit dem Zug nach Hause und wechselten während der gesamten Fahrt kein Wort. Daheim ging ich auf mein Zimmer und kroch ins Bett. Den Fernseher schaltete ich nicht ein, obwohl ich unbedingt wissen wollte, wie es Joe ging. Ich war fest entschlossen, nicht einzuschlafen, weil ich wissen musste, ob mein Vater in dieser Nacht nach Hause kam. Ich glaubte nicht, dass er kommen würde, und ich hatte recht. Kurz vor Mitternacht klingelte das Telefon, und meine Mutter nahm ab. Eine männliche Stimme drohte, Warren Tracey umzubringen und unser Haus niederzubrennen. Meine Mutter rief die Polizei, und um zwei Uhr morgens saß ich an unserem Küchentisch und unterhielt mich mit ihr und einem Polizeibeamten.

Es war der erste von vielen Drohanrufen. In den

nächsten Monaten lebten wir in ständiger Angst, und natürlich war mein Vater nur selten zu Hause, um uns zu beschützen.

Ich war elf Jahre alt und wollte meinen Namen ändern.

13

Die Moskitos finden uns, und wir flüchten von der Veranda. Fay serviert Erdbeeren mit Schlagsahne und einen merkwürdigen Kräutertee in der vollgestopften Bibliothek. An den Wänden stehen deckenhohe Regale mit Büchern, und rund um einen alten Schreibtisch ragen hohe Bücherstapel auf. Eigentlich stehen im ganzen Haus Bücher, und die meisten davon sind mit Staub überzogen und auf durchhängende Regalbretter gepackt, fast wie in einem Antiquariat. Die Rooks sind sehr belesen und unterhaltsame Gesprächspartner. Ich habe genug geredet und möchte eine Weile nur zuhören.

»Wir haben uns das Spiel damals auf der Veranda angehört, nicht wahr, Fay?«, fragt Clarence.

»Ja, wir saßen auf der vorderen Veranda. Ich werde es nie vergessen.« Im Verlauf des Abends wird mir klar, dass Fay fast genauso viel über das Spiel weiß wie Clarence. »Es war schlimm.«

»Vince Lloyd und Lou Boudreau schienen gleich

zu wissen, dass Joe nicht mehr aufstehen würde. Lou sprach sofort von einem Beanball als Vergeltung dafür, dass Joe gleich bei seinem ersten At Bat einen Home Run erzielt hatte. Während wir warteten, gaben die beiden einige Informationen über den Pitcher weiter. Warren Tracey hatte 1972 am meisten Batter in der National League getroffen und war 1973 im Gleichstand mit dem Führenden. Lou nannte ihn unter anderem einen ›Kopfjäger‹. Beide waren der Meinung, dass Joe sich nicht bewegt hatte, als der Pitch auf ihn zukam. Es war ihnen anzuhören, dass die Situation sehr ernst war.«

»Hat Joe jemals darüber gesprochen?«, frage ich. »Nicht offiziell, aber vielleicht mit Freunden oder seinen Brüdern?«

»Nicht dass ich wüsste«, erwidert Clarence. »Einige Jahre später tauchte ein Reporter aus Little Rock auf … Fay, war er vom *Democrat* oder der *Gazette?*«

»Ich glaube, von der *Gazette*. Aber das steht in einem der Notizbücher.«

»Jedenfalls tauchte dieser Reporter hier auf und schaffte es sogar, mit Charlie und Red zu reden. Er fragte sie darüber aus, wie es Joe ging, und so weiter und so weiter. Und nach dem Beanball erkundigte er sich auch. Sie sagten, dass Joe sich nicht erinnern könne. Das ist meines Wissens das einzige Mal, dass die Familie darüber gesprochen hat. Muss vor etwa zwanzig Jahren gewesen sein.«

»Ist Joe hirngeschädigt?«, frage ich.

Clarence und Fay werfen sich einen schnellen

Blick zu, und mir wird klar, dass es Themen gibt, über die in meiner Gegenwart nicht gesprochen wird. »Ich glaube nicht«, erwidert er schließlich, »aber hundert Prozent in Ordnung ist er auch nicht.«

»Clarence ist einer der wenigen hier, mit denen Joe redet«, fügt Fay hinzu. »Nicht so wie bei einem normalen Gespräch, aber er hat Clarence schon immer gern gehabt und nimmt ihn zumindest wahr.«

»Ich weiß nicht, ob außer seiner Mutter wirklich jemand weiß, was in seinem Kopf vor sich geht«, meint Clarence.

»Er lebt bei ihr?«

»Ja. Drei Häuserblocks von hier entfernt.«

Es ist fast zweiundzwanzig Uhr, und Fay ist müde. Sie räumt den Tisch ab, zeigt mir, wo ich schlafen kann, und wünscht eine gute Nacht. »Ich brauche einen kleinen Digestif. Sie auch?«, sagt Clarence, sobald sie verschwunden ist.

Soweit ich das beurteilen kann, ist Clarence stocknüchtern. Seinen letzten Lemon Gin beim Essen hat er nicht ganz ausgetrunken, und er macht nicht den Eindruck, beschwipst zu sein. Das trifft auch auf mich zu – den letzten Schluck Alkohol (und den letzten Schluck Lemon Gin meines Lebens) habe ich vor zwei Stunden getrunken. Mein Körper ist noch auf die Ortszeit von Santa Fe eingestellt, und da wir in New Mexico eine Stunde hinter Arkansas zurückliegen, bin ich noch nicht richtig müde. Und ich würde Clarence gern noch eine Weile zuhören. »An was hätten Sie denn gedacht?«, frage ich.

Er ist bereits aufgestanden. »Ozark Pfirsichbrandy«, sagt er und verschwindet aus dem Raum.

Es handelt sich um eine klare Flüssigkeit, die leicht bernsteinfarben schimmert. Clarence gießt den Brandy aus einer Karaffe in zwei kleine Schnapsgläser, was nichts Gutes ahnen lässt. Als er sich setzt, stoßen wir an. »Prost. Seien Sie vorsichtig. Es ist besser, wenn Sie zuerst nur einen kleinen Schluck trinken.«

Ich befolge seinen Rat. Eine Lötlampe würde meine Lippen und Zunge sicher nicht weniger stark verbrennen. Ich bemühe mich, das Gesicht nicht zu verziehen, und schlucke den Brandy hinunter, während Flammen meine Speiseröhre hinabschießen, bis der letzte Tropfen meinen arglosen Magen erreicht hat. Clarence sieht mich aufmerksam an und wartet offenbar auf irgendeine Reaktion. »Nicht schlecht, oder?«, sagt er, als ich Haltung bewahre.

»Was ist das? Benzin?«

»Ein Erzeugnis aus der Gegend hier, das von einem unserer besseren Schnapsbrenner hergestellt wird.«

»Unversteuert, wie ich annehme?«

»Gänzlich unversteuert und eindeutig illegal.« Er trinkt noch einen Schluck.

»Ich dachte immer, schwarzgebrannter Schnaps macht blind und schädigt die Leber.«

»Diese Folgen kann er haben. Man muss die Quelle kennen. Das Zeug hier ist gut – leicht, aromatisch, so gut wie harmlos.«

Harmlos? Meine Zehen stehen in Flammen. Als Sohn eines gewalttätigen Alkoholikers hatte ich noch nie viel für Hochprozentiges übrig, und nach einem Abend mit Lemon Gin und schwarzgebranntem Whiskey wird mir klar, dass das eine weise Entscheidung war.

»Der zweite Schluck ist einfacher, und der dritte ist der beste«, sagt er. Ich nehme einen etwas kleineren Schluck als beim ersten Mal, und es brennt wirklich nicht mehr so stark, was aber wohl an dem Narbengewebe liegt, das der erste hinterlassen hat.

»Paul, woher haben Sie eigentlich gewusst, dass Ihr Vater Joe einen Beanball verpassen würde?«, fragt Clarence, während er nach Pfeife und Tabakbeutel greift.

»Das ist eine lange Geschichte.« Ich versuche, meine Zunge wiederzufinden.

Er lächelt und breitet die Arme aus. »Wir haben die ganze Nacht Zeit. Normalerweise lese ich bis Mitternacht und schlafe bis acht.«

Ich nehme noch einen dritten Schluck, der tatsächlich leicht nach Pfirsich schmeckt. »Mein Vater war von der alten Schule. Wenn ein Batter einen Home Run schlägt, gewinnt der Batter das Duell. Und mehr als seine Belohnung bekommt er nicht. Es ist eine Sünde, den Pitcher zu beleidigen, indem man auf irgendeine Art angibt. An der Plate stehen und bewundernd dem Ball hinterhersehen, den Schläger hochwerfen, im Schneckentempo um die Bases laufen, um die Aufmerksamkeit der Zuschauer zu genießen. Das tut man nicht. Wenn der Batter gewinnt, hat er zügig die Bases zu umrunden und

134

dann sofort im Dugout zu verschwinden. Andernfalls muss er dafür bezahlen. Wenn ein Batter eine Show abzieht, hat der Pitcher das Recht, einen Ball auf ihn zu werfen. Das stammt direkt aus dem alten Verhaltenskodex, auf den mein Vater einen Eid abgelegt hat.«

»So, wie heute gespielt wird, würde das nicht mehr funktionieren«, meint Clarence, während er eine Rauchwolke ausstößt.

»Keine Ahnung. Ich habe seit dreißig Jahren kein Spiel mehr gesehen.«

»Hat Joe irgendetwas getan, um Warren Tracey schlecht aussehen zu lassen? Sie waren dabei. Vince Lloyd und Lou Boudreau sagten wiederholt, Joe habe nichts falsch gemacht.«

»Nach Warrens offizieller Aussage lautet die Antwort: Nein. Nein, weil er kurz darauf anfing zu behaupten, es sei ein Versehen gewesen, er habe nicht auf Joe gezielt, der Pitch sei lediglich etwas zu hoch gekommen. Ich vermute mal, dass Warren seine Version geändert und zu lügen angefangen hat, nachdem klar war, dass Joe schwer verletzt war.«

»Sie scheinen sich da sehr sicher zu sein.«

»Als ich ein kleiner Junge war, so mit fünf oder sechs, beschloss ich, Pitcher zu werden, weil mein Vater Pitcher war. Ich war ziemlich gut und wurde noch besser, je älter ich wurde. Mit meinem Vater habe ich selten im Garten Baseball gespielt, weil er nur selten zu Hause war, aber wir lebten im gleichen Haus, und ein bisschen was von ihm muss wohl auf mich abgefärbt haben. Einmal habe ich bei einem Spiel gepitcht, und ein Junge schlug einen Home Run und lief dann unter lautem Freudengeheul um die Bases. Mein Vater war auch da, was nicht oft vorkam, und als der Junge das nächste Mal am Schlag war, rief mir mein Vater zu, ich solle ihm einen Ball verpassen. Ich war elf und wollte nicht auf ihn zielen. Also bekam der Junge keinen Beanball verpasst. Mein Vater raste vor Wut. Nach dem Spiel hatten wir einen Riesenstreit. Er verprügelte mich hinten in unserem Garten und sagte mir, dass ich nie ein guter Pitcher würde, weil ich ein Feigling sei, weil ich Angst hätte, auf Hitter zu zielen. Er ist kein guter Mensch, Clarence.«

Noch ein Schluck, noch eine Rauchwolke. »Sie besuchen ihn morgen?«

»Richtig. Zum ersten Mal seit Jahren.«

»Und Sie glauben, dass Sie ihn überreden können herzukommen, nach Calico Rock?«

»Ich weiß nicht, aber ich werde es versuchen.«

»Das scheint mir ehrlich gesagt wenig Aussicht auf Erfolg zu haben.«

»Ich habe einen Plan. Er wird vielleicht nicht funktionieren, aber ich werde es versuchen.«

Clarence gießt noch etwas von dem schwarzgebrannten Brandy ein. Nach ein paar Minuten nicke ich fast ein. »Haut einen das Zeug um?«, frage ich.

»Und wie. Sie werden wie ein Baby schlafen.«

»Ich bin tot. Danke.«

Ich lege mich im Gästezimmer schlafen, unter einem surrenden Deckenventilator, nur drei Häuserblocks entfernt von dem kleinen Haus, in dem Joe Castle mit seiner Mutter lebt. Das letzte Mal, als ich ihn gesehen habe, lag er auf einer Trage und wurde vom Spielfeld heruntergetragen und in ein Krankenhaus in New York City gebracht. Zurück blieben sein brillantes Spiel, die Träume seiner Fans und eine vielversprechende Karriere, die vorbei war, bevor sie richtig begonnen hatte.

Fay steht schon vor ihrer Staffelei und malt, als ich mich von ihr verabschiede. Ich bedanke mich für ihre Gastfreundschaft, und sie sagt, dass ich das Gästezimmer jederzeit haben könne. Dann fahre ich Clarence in die Main Street hinterher, wo wir parken und in den Evans Drug Store gehen. »Es wäre vielleicht besser, wenn Sie bei ›Paul Casey‹ bleiben, nur für den Fall«, sagt er, als wir eintreten.

Kein Problem. Ich habe dieses Pseudonym schon öfter benutzt, als er sich vorstellen kann.

So früh am Morgen ist das Café gut besucht, alles Männer, und Clarence wechselt mit einigen von ihnen ein paar Worte, während wir zu einem Tisch weiter hinten gehen. Es gelingt mir, mich nicht vorstellen zu müssen. Offenbar ist Clarence nur zu Hause Vegetarier, wo Fay die Herrschaft über die Küche hat. Jetzt bestellt er Eier mit Schinken, und ich möchte das Gleiche. Während wir auf unser Frühstück warten, trinken wir Kaffee und hören den angeregten Gesprächen um uns herum zu. An einem langen Tisch in der Nähe des Eingangs ereifert sich eine Gruppe von Pensionären über den Irakkrieg. Die Männer haben jede Menge Ansichten und kümmern sich nicht darum, wer sie hören könnte.

»Was Politik angeht, ist Calico Rock wohl ziemlich konservativ«, sage ich zu Clarence.

»O ja, aber bei den Wahlen geht ein Riss durch die Stadt. Im Izard County wohnen nur Weiße, aber es sind noch eine Menge Roosevelt-Demokraten aus alten Zeiten übrig. Hier nennt man sie übrigens ›Verlängerungskabel-Demokraten‹.«

»Den Begriff kannte ich noch gar nicht.«

»Stromversorgung auf dem Land, stammt noch aus Zeiten des New Deal.«

»Warum gibt es nur Weiße im County?«

»Das hat historische Gründe. Hier in der Gegend gab es nie viele Farmen, also keine Sklaven und auch sonst keinen Grund für die Schwarzen, sich anzusiedeln. Heute gehen sie wohl lieber woandershin. Aber wir hatten nie Probleme mit dem Klan, wenn es das ist, was Sie gerade denken.«

»Nein, das denke ich nicht.«

An der Wand über der Registrierkasse hängen Fotos von Sportmannschaften – Little League, Softball, Highschool-Basketball –, von denen einige aktuell, andere im Laufe der Jahre völlig verblichen sind. In der Mitte prangt die gerahmte Titelseite der *Sports Illustrated* vom 6. August 1973. Calico Joe, das Phänomen. Lächelnd sage ich: »Ich kann mich noch an den Tag erinnern, an dem die Ausgabe mit der Post kam.«

»Das können wir alle. Es war vermutlich der größte Tag in der Geschichte der Stadt.«

»Reden die Leute hier noch über Joe?«

»Selten. Es ist dreißig Jahre her. Ich kann mich gar nicht mehr daran erinnern, wann ihn jemand das letzte Mal erwähnt hat.«

Unser Frühstück wird serviert. Nicht weit von uns tobt der Krieg. Wir essen schnell, und ich begleiche die Rechnung in bar, nicht mit Kreditkarte. Ich möchte nicht, dass jemand meinen Namen sieht. Clarence ist der Meinung, dass wir seinen Wagen nehmen sollten – einen bordeauxroten Buick –, da ein fremdes Fahrzeug mit einem Kennzeichen von außerhalb des Staates die Leute misstrauisch machen könnte. Es ist keine Überraschung, dass der Buick nach kaltem Rauch riecht. Eine Klimaanlage gibt es nicht, und so legen wir die kurze Fahrt mit offenen Fenstern zurück.

Die Highschool liegt keine zwei Kilometer von der Main Street entfernt in einem neueren Teil der Stadt. Calico Rock ist zu klein für ein eigenes Footballteam, daher weiß ich, dass wir gleich beim Baseballfeld sind, als ich Scheinwerfermasten sehe. In einiger Entfernung, im Center Field, sitzt ein Mann auf einem Rasentraktor. »Das ist er«, sagt Clarence.

Der Unterricht hat noch nicht wieder begonnen, und der Parkplatz ist leer. Wir stellen den Buick neben einer alten Rodeo-Arena ab, überqueren die Straße und gehen hinter der Tribüne vorbei auf den Back-stop zu. Dann gehen wir zur obersten Reihe und set-zen uns an eine Stelle, die Schatten von der kleinen Pressebox bekommt. Das Feld ist wunderschön. Das Bermudagras ist saftig und grün. Alles andere welkt in der heißen Augustsonne dahin, doch der Rasen des Joe Castle Field ist dicht, gepflegt und gut gewässert. Der Sand auf den Base Paths und dem Infield ist akri-bisch präpariert. Der Wurfhügel sieht aus, als wäre er mit der Hand geformt worden. Ein drei Meter breiter Warning Track aus gemahlenem Kalkstein umgibt das gesamte Spielfeld, und es ist nirgendwo Unkraut zu sehen. Direkt hinter dem Maschendrahtzaun des Left Center Field hängt eine große Anzeigetafel, auf der am oberen Rand JOE CASTLE FIELD und am unteren HOME OF THE PIRATES steht.

Joe sitzt auf einem roten, spinnenähnlichen Mä-her mit verschiedenen Schneidebenen und meh-reren Messern, der offenbar speziell für Spielfelder konstruiert wurde. Er trägt eine schwarze Baseball-mütze, deren Schild er tief ins Gesicht gezogen hat, und eine Brille. Im Laufe der Jahre hat er stark zu-genommen, was mich nicht überrascht.

»Er ist jeden Tag hier?«, frage ich.

»Fünf Tage die Woche.«

»Wir haben Mitte August. Das nächste Baseball-spiel findet doch erst im März statt.«

»Mitte März, wenn es nicht schneit.«

»Warum mäht er dann das Gras und richtet jeden Tag das Feld her?«

»Weil er es so will. Das ist seine Arbeit.«

»Bekommt er Geld dafür?«

»Ja. Joe ist 1973 kurz vor Weihnachten nach Hause gekommen. Er lag zwei Monate in einem Krankenhaus in New York, dann flogen ihn die Cubs nach Chicago, wo er mehrere Wochen in einem anderen Krankenhaus blieb. Red und Charlie haben ihn dann rechtzeitig zu Weihnachten heimgeholt. Er redete immer davon, wieder spielen zu wollen, doch wir wussten, wie es um ihn stand. Kurz nach Neujahr hatte er einen Schlaganfall. Er war allein zu Hause, und bis man ihn in das Krankenhaus in Mountain Home gebracht hatte, war es schon zu spät. Seine linke Seite ist teilweise gelähmt. Man sieht es, wenn er läuft.«

»Weiß er, dass wir hier oben sind?«

»Ja. Er hat gesehen, wie wir hergekommen und uns einen Platz gesucht haben. Er weiß, dass wir über ihn reden. Vermutlich wird er nicht nah genug an uns herankommen, um Hallo zu sagen, und noch vor heute Abend werde ich von Red oder Charlie, vermutlich Charlie, einen Anruf bekommen und gefragt werden, was ich hier gemacht habe und wer bei mir war. Ich werde ihm sagen, Sie seien mein Neffe aus Texas, Baseball-Coach an einer Highschool, und wollten sich unser Feld ansehen.«

»Okay. Zurück zum Thema. Warum bekommt Joe Geld dafür, dass er sich um das Feld kümmert?«

»Nach dem Schlaganfall war klar, dass er behindert bleibt und einen Job braucht. Daher hat ihn die

Schulverwaltung als Platzwart angestellt, Vollzeit mit Krankenversicherung und Rentenanspruch, und das geht jetzt schon seit dreißig Jahren so. Er arbeitet auf dem Feld, macht kleinere Reparaturen in der Sporthalle, und wenn das Baseballteam ein Spiel hat, sitzt er hier oben in der Pressebox und bedient die Anzeigetafel.«

»Eine großartige Idee.«

»Hier in Calico Rock wird niemand vergessen. Und Joe schon gar nicht.«

Joe mäht einen langen Grasstreifen von der Foul-Linie des Right Field bis zur linken Foul-Linie fertig, dann wendet er und nimmt sich den nächsten Streifen vor. Der Mäher ist in der Nähe des Warning Track am Outfield. Falls die Messer das Bermudagras tatsächlich schneiden, kann ich es nicht sehen. Der ungemähte Teil sieht genauso gepflegt aus wie das Stück, über das er gerade gefahren ist.

»Woran denken Sie gerade?«, fragt Clarence, während er seine Pfeife wieder anzündet.

»Was hätte sein können. Wo wäre Joe jetzt, wenn er nicht verletzt worden wäre? Wie weit hätte er es bringen können?«

»Dieser Gedanke macht einen verrückt. Ich habe mich das jahrelang gefragt, und irgendwann ist mir klar geworden, dass es Zeitverschwendung ist. Die Geschichte von Joe Castle ist eine große Tragödie, sonst nichts. Es fällt einem schwer, das zu akzeptieren, aber nach einer Weile versucht man, einfach weiterzumachen.«

»Halten Sie es für eine gute Idee, dass mein Vater herkommt und mit Joe redet?«

Ein langer Zug, eine große Rauchwolke. Es muss schon um die zweiunddreißig Grad haben, und ich frage mich, wie man bei dieser Hitze rauchen kann. »Wissen Sie, Paul, wenn ich hier so sitze, halte ich es für unmöglich, dass Ihr Vater auftaucht, Joe die Hand gibt und über die Vergangenheit redet.«

»Sie haben recht.«

»Glauben Sie wirklich, Sie können ihn überreden zu kommen?«

»Ich werde es versuchen. Und ich glaube, ich werde es schaffen.«

»Wie?«

»Erpressung.«

Joe mäht den letzten Grasstreifen im Outfield. Bis jetzt hat er kein einziges Mal in unsere Richtung gesehen.

»Ich glaube nicht, dass ich mehr darüber wissen will«, meint Clarence.

»Nein, wollen Sie nicht.«

Wir sehen Joe zu.

»Ja, meiner unmaßgeblichen Meinung nach würde es ihm viel bedeuten, wenn Warren Tracey ihm die Hand geben und sich bei ihm entschuldigen würde«, sagt Clarence schließlich. »Die beiden haben nie wieder miteinander geredet, sie haben sich seit jenem Abend nie wieder gesehen. Ich halte es für eine gute Idee. Aber wie zum Teufel wollen Sie das anstellen?«

»Es wird nicht einfach sein. Ich brauche Ihre Hilfe.

Ich möchte, dass Sie mit seinen Brüdern reden und das Ganze an diesem Ende abklären. Andernfalls verschwende ich meine Zeit.«

Joe hält im Foul Territory außerhalb des Left Field an und stellt den Mäher ab. Er schwingt das rechte Bein herum, stützt sich ab und springt vom Traktor. Dann nimmt er einen Stock und schlurft zu einem Geräteschuppen. Beim Gehen sieht man, dass er stark hinkt, sein linker Fuß schleift nach, und der rechte bewegt sich in kleinen Trippelschritten vorwärts.

»Der arme Kerl«, sage ich, und etwas in mir hätte am liebsten geweint. Dieser großartige junge Mann, der es von der Home Plate bis zur ersten Base in unter vier Sekunden geschafft hat, der die zweite und dritte Base in achtunddreißig Spielen siebenmal unmittelbar hintereinander gestohlen hat, der faule Singles in spannende Doubles verwandeln konnte, dieser außergewöhnliche Sportler mit seinem brillanten Spiel wurde zu einem verkrüppelten Platzwart, der Gras mäht, das nicht gemäht werden muss. Allein der Gedanke daran ... Als Joe dreißig Jahre alt war und auf dem Höhepunkt seiner Karriere hätte stehen sollen, tat er stattdessen genau das, was er jetzt tut.

»Ja, es ist wirklich traurig«, fügt Clarence hinzu. Joe verschwindet im Geräteschuppen. »Er lässt sich jetzt vermutlich nicht mehr blicken. Ich glaube, wir sollten gehen.«

Als wir in die Main Street zurückkehren, verspricht Clarence, mit Charlie und Red zu reden und ein Treffen vorzuschlagen. Ich wiederhole, was Clarence sowieso schon weiß: Warren hat nicht mehr lange zu leben. Wir dürfen keine Zeit verlieren.

Wir halten kurz beim *Calico Rock Record*, wo ich eine Tasse Kaffee bekomme. Es dauert eine Weile, bis ich mich verabschiedet habe. Wir haben die gemeinsame Zeit genossen und hoffen, dass wir uns bald wieder treffen. Als ich die Stadt verlasse, weiß ich nicht, ob ich wirklich zurückkehren werde.

Vier Stunden später bin ich in Memphis. Über Atlanta fliege ich nach Tampa, wo ich mir wieder einen Mietwagen nehme und nach Osten fahre, in Richtung Winter Haven.

14

Lange nachdem der Polizeibeamte gegangen war, saßen meine Mutter und ich im Wohnzimmer und sahen uns im Fernsehen Western an. Die Türen waren verriegelt, die Vorhänge zugezogen, im ganzen Haus war das Licht an. Der Polizist hatte versprochen, regelmäßig durch unsere Straße zu fahren, doch wir hatten immer noch Angst. Vielleicht hätten wir den Anruf als schlechten Scherz eines wütenden Cubs-Fans, der unsere Nummer aus dem Telefonbuch hatte, abtun sollen, doch es schien ernster zu sein als das. Wir hatten noch nie eine derartige Drohung bekommen, und angesichts der dramatischen Ereignisse des gestrigen Abends konnten wir den Anruf nicht einfach so vergessen und schlafen gehen.

»Woher hast du gewusst, dass er Joe Castle treffen wird?«, fragte meine Mutter in einer Werbepause. Sie saß an einem Ende des Sofas, ich am anderen, und wir waren beide noch vollständig angezogen.

»Weil er Baseball nun mal so spielt«, erwiderte ich.

»Warum sind Beanballs eigentlich erlaubt?«

»Keine Ahnung. Ich habe noch nie einen guten Grund dafür gehört.«

»Was für ein dummer Sport«, meinte sie.

Ich widersprach ihr nicht. Wir hatten auch Angst, dass Warren nach Hause getorkelt kam und Ärger machte. Er war mit einer blutigen Nase vom Feld gezerrt worden und daher nicht so schwer verletzt, dass er nicht auf Sauftour gehen konnte. Aber wenn er um drei Uhr morgens noch nicht da war, kam er nicht mehr. Vermutlich saß er gerade in einer Bar, zeigte seine blauen Flecken herum und prahlte damit, dass er es geschafft hatte, einen Batter zu treffen. Und die Lorbeeren für den Sieg der Mets beanspruchte er sicher auch für sich.

Ich nickte auf dem Sofa ein, doch um sechs Uhr morgens rüttelte meine Mutter mich wach. »Die Nachrichten kommen«, sagte sie. Um sechs Uhr morgens begann den Tag bei Channel 4 aus Manhattan mit den Nachrichten, dem Wetterbericht und Sport, und der Moderator kam sofort zur wichtigsten Meldung. »Ein wilder Abend im Shea Stadium«, sagte er, dann wurde ein kurzer Bericht gesendet. Eine Kamera, die irgendwo in der Nähe des Dugout der Mets gestanden hatte, zeigte, wie der Beanball geworfen wurde und Joe zu Boden ging. Die Szene wurde wiederholt, in Zeitlupe, dann noch einmal, während der Reporter jedes Detail beschrieb. Er sagte, Joe befinde sich in einem kritischem Zustand und sei im Mount Sinai Hospital in Manhattan.

Wenigstens lebte er.

Dann kam die Schlägerei, und genau wie gestern Abend schien sie sich endlos in die Länge zu ziehen. Da ich Augenzeuge gewesen war, hatte ich genug gesehen. Es machte mich ganz krank und nahm mir, wie mir später klar wurde, jegliche Freude am Baseball.

Als die Sonne aufgegangen war, ging ich die Einfahrt hinunter und holte die *New York Times*. Dann warf ich einen Blick auf die Straße, um mich zu vergewissern, dass alles in Ordnung war. Damals war mir noch nicht bewusst, dass ich mich viele Monate lang ängstlich umsehen würde.

Meine Mutter trank Kaffee und blätterte durch den Teil mit den nationalen und internationalen Nachrichten. Ich las jedes Wort, das über das Spiel und die damit zusammenhängenden Themen geschrieben worden war. Auf der Titelseite des Sportteils waren zwei große Fotos abgedruckt. Das eine zeigte Joe am Boden liegend, Sekunden nachdem er getroffen worden war und bevor die Trainer sich um ihn geschart hatten. Das andere war ein tolles Bild von Razor Ruffin, der meinen Vater gerade von hinten zu Boden riss. Ruffin hatte nach dem Spiel jeden Kommentar verweigert, genau wie Warren Tracey, Yogi Berra, Whitey Lockman und alle anderen Spieler und Coaches. Es gab allerdings keinen Zweifel daran, dass es zu weiteren Schlägereien kommen würde. Das nächste Spiel der beiden Mannschaften war für vierzehn Uhr an diesem Tag angesetzt. Die

Ärzte im Mount Sinai sagten nicht viel, doch Joe war immer noch bewusstlos und in einem kritischen Zustand.

Als das Telefon klingelte, starrten wir es eine Sekunde lang an. Ich war näher dran, daher griff ich nach dem Hörer und nahm ihn langsam ab. »Hallo.«

»Warren Tracey ist ein toter Mann!«, brüllte eine wütende Stimme.

Meine Mutter sprang auf und steckte das Telefon aus.

Die Zeitungen in Chicago waren schockiert: »Beanball!«, schrie mir die Schlagzeile in der *Sun-Times* entgegen, direkt über einem Foto des am Boden liegenden Joe Castle mit dem Helm neben sich. Die *Tribune* hielt sich etwas mehr zurück. Ihre Schlagzeile lautete: »Mets finden Möglichkeit, Castle zu stoppen«.

Am Samstagvormittag traf sich Commissioner Bowie Kuhn mit seinen Funktionären in der Geschäftsstelle der Major League Baseball in New York City. Nachdem er sich das Filmmaterial angesehen und mit Augenzeugen geredet hatte, sperrte er Razor Ruffin und Whitey Lockman für zehn Spiele, Warren Tracey für fünf Spiele und acht andere Spieler für jeweils drei Spiele. Die Geschäftsstelle gab eine banale Pressemitteilung heraus, in der sie Joe Castle eine schnelle Genesung wünschte.

Für das Spiel am Samstag war das Shea Stadium erneut ausverkauft, und es waren noch mehr Fans der Cubs gekommen, die Ärger suchten. Kurz nachdem

Tom Seaver den ersten Pitch geworfen hatte, landete eine Rauchbombe in der Nähe der Home Plate. Das Spiel wurde für fünfzehn Minuten unterbrochen, während man wartete, dass sich der Rauch verzog. Die Fans der Mets buhten, die der Cubs fluchten, die Atmosphäre im Stadion war angespannt. Das Wachpersonal war erheblich verstärkt worden, und Polizisten in Uniform standen fast Schulter an Schulter entlang des Warning Track. Joe war von dem dritten Pitch des dritten Pitchers im dritten Inning getroffen worden, und prompt regnete es Rauchbomben auf das Spielfeld, als Tom Seaver in der ersten Hälfte des dritten Innings den dritten Pitch zu Burt Hooton, dem Starter der Cubs, warf. Schlägereien brachen aus, als Mets-Fans die Werfer der Rauchbomben angriffen. Es kam zu Festnahmen. Das Spiel wurde für eine halbe Stunde unterbrochen, während pausenlos Warnhinweise aus den Lautsprechern plärrten. Die hässliche Situation verschärfte sich immer mehr.

Ich versuchte, mir das Spiel anzusehen, konnte es aber nicht. Ich wollte das Haus verlassen und mich für ein paar Stunden oder ein paar Tage bei den Sabbatinis verstecken, doch dann wäre meine Mutter allein gewesen. Also blieb ich in meinem Zimmer, schaltete das Radio ein und aus und schlug die Zeit tot.

Wenn die Mets Heimspiele hatten und mein Vater zu Hause war, wartete ich in der Regel ein paar Tage, bis ich die Artikel aus dem Sportteil der Zeitungen ausschnitt und in meine Scrapbooks klebte. Aber mir war langweilig, und er war nicht zu Hause, und im Grunde genommen war es mir egal, was er dachte. Am Küchentisch sitzend, schnitt ich die Artikel aus der *Times* aus, dann ging ich zu meinem Schrank, wo ich ein Dutzend Scrapbooks, Fotoalben und Baseball-kartensammlungen aufbewahrte. Bei diesen Sachen herrschte eine mustergültige Ordnung, und soweit ich wusste, fasste sie außer mir niemand an. Da es so viele Artikel und Fotos von Joe Castle und seinem historischen Debüt gab, hatte ich das gesamte Materi-al, das ihn betraf, neu geordnet und in ein Scrapbook übertragen, das nur ihm gewidmet war. Die einzigen anderen Spieler, denen diese Ehre zuteilgeworden war, waren Tom Seaver, Willie Mays, Hank Aaron und Catfish Hunter. Die restlichen Scrapbooks ent-hielt Souvenirs, Artikel und Fotos, die eine ganze Mannschaft betrafen – die Mets 1973, die Mets 1972, die Cincinnatti Reds, die Oakland A's 1972 und so weiter. Vor zwei Jahren hatte ich ein Scrapbook an-gefangen, das meinem Vater gewidmet war, doch es gab einfach nicht genug Material, um es zu füllen.

Mein Joe-Castle-Scrapbook war verschwunden. Ich suchte jeden Zentimeter meines Schranks und meines Zimmers ab. Als ich sicher war, dass es nicht mehr da war, legte ich mich auf mein Bett und starr-te an die Decke. Jill war im Ferienlager, außerdem würde sie nichts anfassen, was auch nur im Entfern-testen mit Baseball zu tun hatte. Und meine Mutter auch nicht.

Unser Haus hatte einen Keller mit einer kleinen

Waschküche, einem noch kleineren Hauswirtschafts-
raum und einem großen Spielzimmer mit Fernseher
und Billardtisch. Vom Spielzimmer führte eine Tür in
den Garten hinter dem Haus. Da mein Vater manchmal erst in den frühen Morgenstunden nach Hause
kam, schlich er sich oft ins Spielzimmer und schlief
auf dem schmalen Sofa seinen Rausch aus. Manchmal, wenn meine Eltern sich gestritten hatten, über-
nachtete er ebenfalls dort. Hin und wieder stritten sie
sich auch da unten, damit Jill und ich nichts davon
mitbekamen. An Tagen, an denen mein Vater pitchte,
verbrachte er oft Stunden dort, allein, bei herunter-
gelassenen Jalousien und im Halbdunkel, völlig versunken in seiner eigenen Welt. Er betrachtete das
Spielzimmer als sein privates Refugium, was uns nur
recht war. Wenn er für sich sein wollte, blieben wir
gern weg.

Ich schlich mich die Treppe hinunter und schaltete
das Licht ein. Mein Scrapbook war im Spielzimmer,
auf einem Beistelltisch neben dem Sofa. Es lag auf-
geschlagen da, auf der Seite, wo ich das Foto mit der
Widmung »Für Paul Tracey, alles Gute« eingeklebt
hatte.

Neben dem Scrapbook stand die orangefarbene
Mets-Tasse, seine Tasse, die einzige Tasse, aus der
er exakt sechs Stunden vor seinem ersten Pitch den
Bananen-Milchshake trank. Einmal hatte er einen
Wutanfall bekommen und in der Küche Geschirr zer-
schlagen, weil er die verdammte Tasse nicht finden
konnte.

Ich erstarrte, als mir klar wurde, was ich da entdeckt hatte. Es war, als wäre ich an einen Tatort gekommen und würde verzögert reagieren, während ich alles begriff. Der Verbrecher hatte allein im Halbdunkel gesessen, in aller Ruhe seine Tat geplant und dann versehentlich die Beweise zurückgelassen.

Ich verließ das Spielzimmer und machte mich auf die Suche nach meiner Mutter.

Verunsichert, verängstigt und müde, wie wir waren, beschlossen wir wegzufahren. Wir packten schnell ein paar Sachen, sperrten das Haus ab und fuhren nach Hagerstown, Maryland, um ein paar Tage bei den Eltern meiner Mutter zu bleiben. Das Haus, die Morddrohungen und den ganzen anderen Mist konnte mein Vater haben. Er hatte es mehr als verdient. Damals war mir das noch nicht klar – und ich bin mir nicht sicher, ob es meiner Mutter bewusst war –, aber wir hatten unseren ersten großen Schritt in Richtung Trennung gemacht.

An dem Samstag gewannen die Mets das zweite Spiel der Serie, und sie mussten nicht einmal richtig dafür kämpfen. Zwei Pitcher wurden vom Platz gestellt, weil sie auf Batter geworfen hatten, und beide Mannschaften konnten die nächste Schlägerei kaum erwarten. Doch da so viele Spieler gesperrt waren, wurde das Gewinnen von Spielen wichtiger als das Gewinnen von Beanball-Kriegen.

Die Baseballwelt wartete darauf, dass Joe aufwachte, die Augen öffnete, sich einen Eisbeutel auf seine Wunden legte, ins Stadion zurückkehrte und damit weitermachte, die Zuschauer zu verblüffen und Rekorde aufzustellen. Doch am Sonntagmorgen lag er immer noch im Koma.

Die Mets triumphierten auch am Sonntag, und am Montag hatten sie alle vier Spiele gewonnen. Die Cubs waren mit einem Vorsprung von zehn Spielen nach New York gekommen, verließen die Stadt aber schwer angeschlagen und unter dem Druck eines erneuten Scheiterns gegen Ende der Spielzeit. Von den achtunddreißig Partien, in denen Joe gespielt hatte, hatten sie achtundzwanzig gewonnen, doch ohne ihn waren sie offensichtlich ein völlig anderes Team.

Am 30. August stand Warren Tracey im Shea Stadium gegen die Pirates auf dem Wurfhügel. Er gab einen Single an den Lead-off-Hitter ab, dann folgten zwei Walks. Bei geladenen Bases traf sein Ball Willie Stargell in die Rippen. Es war keine Absicht gewesen, trotzdem war der Batter nicht besonders glücklich darüber, vor allem, weil der Pitcher inzwischen der berüchtigtste Kopfjäger der ganzen Liga war. Als Stargell langsam zur ersten Base ging, sagte er etwas zu meinem Vater, und für einen Moment herrschte Hochspannung. Die Schiedsrichter, die in höchster Alarmbereitschaft waren, mischten sich ein und verhinderten, dass es zum Streit kam. Der nächste Pitch war ein Fastball mitten in die Strike Zone, den Richie Hebner einhundertzwanzig Meter weit zu einem Grand Slam schlug. Als Yogi ihn endlich aus dem

Spiel nehmen konnte, stand es 7:0 für die Pirates, ohne ein einziges Out.

Vier Tage später, am 3. September, Labor Day, ging mein Vater im Busch Stadium in St. Louis unter Pfiffen und Buhrufen zum Wurfhügel. Er hielt es zwei Innings lang aus, gab vier Walks ab, erzielte keinen Strikeout, gab fünf Runs ab, traf niemanden mit dem Ball und pitchte sich zügig aus der Rotation. Die New Yorker Sportreporter forderten lautstark, ihn aus der Mannschaft zu nehmen.

Während Joe Castle immer noch bewusstlos in einem New Yorker Krankenhaus lag, wurde Warren Tracey mit Inbrunst gehasst. Sein Name war Gift. Sein Pitching war ein Desaster. Seine Mannschaftskameraden gewannen zwar, doch sie waren es leid, dass es bei einem Spiel mit ihm immer irgendwelche Zwischenfälle gab. Es war offensichtlich, dass er den Ärger, den er verursacht hatte, nicht wert war.

15

Nach seinen ersten zwei oder drei Frauen fing Warren an, mehr Wert auf Geld als auf gutes Aussehen zu legen. Eine seiner späteren Frauen, Florence, starb an einem Hitzschlag und hinterließ ihm ein hübsches Haus und ein gut gefülltes Bankkonto. Er ist nicht reich, hat aber so viel Geld, dass er nicht zu arbeiten braucht und seine Tage im Klub verbringen kann, wo er Gin Rommé und Golf spielt und trinkt. Als er etwa fünfundfünfzig war, so ungefähr vor zehn Jahren, überredete ihn seine damalige Frau – Karen, glaube ich –, mit dem Trinken und dem Rauchen aufzuhören. Was er dann tatsächlich auch tat, doch für seinen Körper war es zu spät. Die arme Karen. Sie begriff sehr schnell, dass er weitaus verträglicher war, wenn er soff. Die beiden ließen sich scheiden, und da mein Vater nie lange allein blieb, heiratete er bald darauf Agnes, seine jetzige Frau.

Sie leben in einer dieser geschlossenen Wohnanlagen, die typisch für Florida sind, mit Reihen niedriger, moderner Häuser, die neben Fahrrinnen und Teichen liegen und an einen Golfplatz grenzen. Jeder ist über sechzig und fährt ein Golfwägelchen.

Da wir gerade beim Golf sind. Nach dem Ende seiner Baseballkarriere stürzte sich Warren mit großer Begeisterung auf Golf, weil er hoffte, dass es seine nächste Karriere werden würde. Er tat sich irgendwo in der Nähe von Sarasota mit einem Berufsgolfer zusammen und spielte und trainierte jeden Tag mehrere Stunden. Damals war er fünfunddreißig, und alles sprach gegen ihn, doch er war der Meinung, dass er nichts zu verlieren hatte. Er qualifizierte sich für den Citrus Circuit, eine zweitklassige Tour im Süden Floridas, die man vielleicht mit einer Class-B-Mannschaft in den Minor Leagues vergleichen könnte. Sein zweites Turnier gewann er, und das brachte seinen Namen ins Kleingedruckte eines Artikels im *Miami Herald*. Jemand las den Artikel und seinen Namen. Dieser Jemand erzählte es weiter, woraufhin ein grober Plan geschmiedet wurde. Beim nächsten Turnier, genau in dem Moment, in dem Warren seinen ersten Schlag ausführen wollte, begannen einige nachtragende Fans der Cubs, ihn lautstark zu beschimpfen. Er trat einen Schritt zurück, wechselte ein paar Worte mit den Männern und wartete darauf, dass einer der Offiziellen eingriff. Bei solchen Turnieren herrschen jedoch keine besonders strengen Sicherheitsvorkehrungen, und die Hooligans weigerten sich zu gehen. Als sein erster Ball in einem kleinem See landete, jubelten und brüllten die Fans der Cubs. Sie folgten ihm auf den ersten neun Löchern, bis er nur noch ein Nervenbündel war.

Die Konzentration eines Golfers ist ein empfindliches Pflänzchen, wofür die strikten Verhaltensregeln der PGA für Fans Beleg genug sind. Warren war jedoch weit davon entfernt, auf PGA-Turnieren zu spielen, und der Citrus Circuit hatte nur wenig Einfluss darauf, was für Zuschauer kamen – falls überhaupt welche kamen. Sie verfolgten Warren Tracey, und egal, wo er spielte, sie legten sich in den Hinterhalt und warteten. Bei einem Turnier startete er auf den ersten drei Löchern jeweils mit einem Birdie, als noch Ruhe herrschte, doch als er sich dem Abschlag am vierten Loch näherte, wurde er von mehreren groß gewachsenen, streitlustigen jungen Männern angepöbelt. Seine Schlaganzahl stieg, sein Blutdruck auch, und als er in der zweiten Runde seines fünften Turniers achtundachtzig Schläge brauchte, gab er auf.

Offenbar wohnen in Florida eine Menge Fans der Cubs, denn im Laufe der Jahre gab es zwischen ihnen und Warren eine ganze Reihe unschöner Begegnungen auf Golfplätzen. Dazu kamen Schlägereien in Bars, Geschäften und auf Flughäfen. Eine Weile bezahlte er stets in bar und ließ die Kreditkarten in der Tasche. Einmal wurde er bei einem Immobiliengeschäft um vierzigtausend Dollar betrogen, von zwei Männern, die Fans der Cubs waren und ihn mit Absicht in die Sache hineingezogen hatten. Der Nachname Tracey ist nicht sehr weit verbreitet, und deshalb bekam Warren noch viele Jahre nach dem Beanball Schwierigkeiten.

Der betagte Wachmann lässt mich durch das Tor. Es ist früher Abend, und auf den Fußwegen neben der kurvenreichen Straße sehe ich Paare, die Rad fahren oder walken. Der Golfplatz liegt verlassen da. Alles ist grün und sehr gepflegt.

Meinen Recherchen zufolge ist das Haus sechshundertfünfzigtausend Dollar wert und wurde vor fünf Jahren von Warren und Agnes gekauft. Ich führe nicht Buch, aber es muss das fünfzehnte Haus in den dreißig Jahren sein, die Warren inzwischen in Florida lebt. Er ist wohl eher der rastlose Typ; von Frauen und Häusern hat er schnell genug.

Ich habe ihn seit vier Jahren nicht gesehen. Sara und ich haben damals mit den Mädchen den obligatorischen Trip zu Disney World gemacht, und aus irgendeinem Grund dachte ich, es wäre für die Kinder wichtig, ihren Großvater väterlicherseits zumindest einmal kennenzulernen. Es war ein Desaster. Er wollte uns nicht im Haus haben, und er wollte auch nicht, dass wir Agnes kennenlernen. Also haben wir uns zum Mittagessen in einem Kettenrestaurant – Wink's Waffles – getroffen, das ganz in der Nähe seines Hauses lag. Er musste sich anstrengen, höflich zu sein. Er kannte meine Kinder noch nicht, und Warren in der Rolle des Großvaters war einfach nur erbärmlich. Für die Mädchen war er ein Fremder, für Sara und mich auch, und man merkte ihm an, dass ihm das Ganze ausgesprochen unangenehm war.

Saras Eltern leben in Pueblo, Colorado, und wir besuchen sie mehrmals im Jahr. Sie beten ihre Enkelinnen an und beteiligen sich, so gut es geht, an ihrem Leben. Die Mädchen haben also eine klare Vorstellung davon, wie ein Großvater sein sollte. Warren jedoch stellte sie vor ein Rätsel. Er konnte sich ihre Namen nicht merken, interessierte sich überhaupt nicht für ein Gespräch mit uns und zeigte keinen Funken Wärme, weil er das nicht wollte und auch nicht konnte. Als er dreißig Minuten nach Beginn unseres kleinen Familientreffens auf die Uhr sah, fiel uns das allen auf.

Hinterher versprach ich Sara und den Mädchen, dass ich sie nie wieder mit meinem Vater belästigen würde. Ich wusste, dass sie meine Entscheidung guthießen. Später, als wir wieder zu Hause waren, sagten die Mädchen zu ihrer Mutter, ich täte ihnen leid. Sie konnten einfach nicht verstehen, wie ein netter Mensch wie ihr Dad so einen miserablen Vater haben konnte.

Auf dem Kopfsteinpflaster der Einfahrt steht ein Mercedes, der mindestens fünfzehn Jahre alt ist. Ich drücke auf die Klingel, und schließlich öffnet mir Agnes. Das ist das erste Mal, dass wir uns von Angesicht zu Angesicht gegenüberstehen. Es wird eine kurze Begegnung werden. Weder sie noch ich wollen auch nur zehn Sekunden miteinander verbringen. Sie ist das letzte Opfer auf einer langen, traurigen

Liste verletzlicher und verzweifelter Frauen, die – aus Einsamkeit oder irgendeinem anderen unbegreiflichen Grund – bereit waren, Warren Tracey zu heiraten. Als ich ihr durch die Diele folge, frage ich mich, wie viele Ehemänner sie schon verschlissen hat, aber eigentlich ist es mir egal.

Warren sitzt im Wohnzimmer und sieht fern, mit einem dieser kleinen, flauschigen Schoßhunde neben sich auf dem Sofa. Er steht schnell auf, bringt ein Lächeln zustande und hält mir die Hand hin. Als ich sie ergreife, bin ich von seinem Aussehen beeindruckt. Er ist blass und bewegt sich langsam, doch für einen Mann im Sterben sieht er bemerkenswert gesund aus. Er stellte den Fernseher leiser, schaltet ihn aber nicht aus. Nichts, was er tut, egal, wie unhöflich es ist, überrascht mich. Ich nehme in einem Sessel Platz, während sich Agnes neben den Hund auf das Sofa setzt. In einer Minute werde ich sie los sein.

Wir schlagen die Zeit tot, indem wir uns über seine Operation unterhalten, und ich heuchle Interesse. Dann geht es um die Chemotherapie, mit der er nächste Woche anfangen wird. »Ich werde dieses Ding besiegen«, sagt er, ein einstudierter Satz, den er ohne rechte Überzeugung von sich gibt. Er scheint zu denken, dass mir etwas an ihm liegt. Er scheint zu glauben, dass ich aus New Mexico nach Florida geflogen bin, weil ich mir Sorgen um ihn mache. Wenn ich im Krankenhaus liegen und sterben würde, würde Warren Tracey mit Sicherheit eine Entschuldigung finden, um mich nicht besuchen zu müssen. Warum glaubt er dann, ich würde mich für seine Chemo interessieren?

Ja, warum? Im Laufe der Jahre habe ich die Antwort auf diese Frage herausgefunden. Er ist etwas Besonderes. Er hat Baseball gespielt. Zugegeben, er war nicht ganz so gut wie die Spieler, die es in die Hall of Fame geschafft haben, doch er gehörte zu der Elite, die die große Bühne erklommen hatte. Sein ganzes Leben hat er in seiner eigenen kleinen, egozentrischen, narzisstischen Welt verbracht, in der er etwas Besseres ist als die anderen.

Ich liefere ihm Stichworte und lasse ihn reden. Wie lange wird die Chemotherapie dauern? Was glauben die Ärzte? Ich kenne jemanden, dessen Onkel fünfzehn Jahre mit Bauchspeicheldrüsenkrebs gelebt hat. Ist eine weitere Operation möglich?

Er fragt nicht nach meiner Frau, meinen Töchtern, seiner Tochter oder deren Kindern. Wie immer dreht sich alles nur um Warren.

Agnes, die ein bisschen sehr stämmig ist und mit Sicherheit so alt wie Warren, sitzt nur da, streichelt den Hund und grinst Warren treudoof an, als wäre das, was er sagt, witzig und originell. Nach zehn Minuten ist mir klar, dass es recht leicht ist, Agnes zu erheitern. Ich frage mich, ob ihr schon einmal der Gedanke gekommen ist, dass in so ziemlich allen Kulturkreisen sie als Gastgeberin die soziale Pflicht hat, mir etwas zu trinken anzubieten.

Ich sehe sie an. »Agnes, es gibt da ein paar Dinge,

die ich mit Warren unter vier Augen besprechen muss. Du weißt schon, Familienangelegenheiten, sehr persönlich. Könntest du uns für ein paar Minuten allein lassen?«

Das gefällt ihr überhaupt nicht, doch Warren lächelt und zeigt mit dem Kopf zur Tür. Empört rauscht sie davon und schließt die Tür hinter sich. Ich greife nach der Fernbedienung, schalte den Fernseher aus und lehne mich zurück. »Rate mal, wen ich heute Morgen gesehen habe.«

»Woher soll ich das wissen?«

»Immer noch der alte Klugscheißer, stimmt's?«

»Genau, immer noch der alte Klugscheißer.«

»Joe Castle. Ich war gestern Nachmittag und Abend in Calico Rock, und heute Morgen habe ich Joe gesehen.«

»Ich nehme an, dass du zufällig da durchgekommen bist.«

»Nein, es war kein Zufall. Ich bin seinetwegen hingefahren.«

Seine Schultern sinken ein wenig nach unten, als wäre die Luft plötzlich schwerer geworden. Ich starre ihn an, doch er hat etwas auf dem Fußboden gefunden, das ihn zu faszinieren scheint. Eine Minute vergeht, dann noch eine. »Gibt es etwas, das du mir sagen willst?«, fragt er schließlich mit einem lauten Seufzer.

Ich rücke näher und setze mich auf den Rand des Beistelltisches. Einen halben Meter von ihm entfernt wird mir klar, wie wenig Mitgefühl ich für diesen sterbenden alten Mann empfinde. In mir steckt entschieden mehr Ärger als Mitleid, doch ich habe mir geschworen, dass ich meine Gefühle ruhen lasse.

»Warren, ich möchte, dass du Joe besuchst. Jetzt, bevor es zu spät ist, bevor du stirbst, bevor er stirbt. Du wirst nie wieder die Gelegenheit dazu bekommen. Fahr zu ihm, rede mit ihm, sag ihm die Wahrheit, entschuldige dich, versuch wenigstens, diese Sache abzuschließen.«

Er erstarrt, als hätte er plötzlich starke Schmerzen. Mit offenem Mund sieht er mich an, kann eine Weile nicht sprechen.

»Warren, ich meine es ernst. Seit dreißig Jahren lügst du, wenn jemand wissen will, was passiert ist, aber du und ich kennen die Wahrheit. Gib wenigstens ein einziges Mal in deinem Leben zu, dass du einen Fehler gemacht hast, und entschuldige dich. Du hast nie mit ihm reden wollen. Du hast ihn nie besucht. Du hast der Wahrheit nie ins Gesicht gesehen, ganz im Gegenteil. Du hast so lange gelogen, bis du vermutlich selbst an deine Lügen geglaubt hast. Hör mit dem Lügen auf, sag Joe die Wahrheit und sag ihm, dass es dir leidtut.«

»Du hast ganz schön Mut, dass du dich traust, mit diesem Blödsinn anzukommen«, fährt er mich an.

»Ich habe erheblich mehr Mut als du, alter Mann. Wenn du auch nur einen Funken Rückgrat hättest, würdest du ihn besuchen. Ich gehe mit. Wir machen diese Reise gemeinsam, und danach wirst du eine erheblich bessere Meinung von dir haben.«

»Bist *du* jetzt zur Abwechslung mal der Besser-wisser?«

»Ja, jedenfalls wenn es um diese Sache geht.«

Sein blasses Gesicht hat sich vor Wut gerötet, doch er hält den Mund. Eine weitere Minute verstreicht. »Was hast du zu ihm gesagt?«

»Nichts. Wir haben nicht miteinander geredet. Ich habe ihn nur von Weitem gesehen. Dank dir hinkt er stark und braucht beim Gehen einen Stock.«

»Ich habe ihn nicht mit Absicht getroffen.«

Abwehrend hebe ich beide Hände und lache. »Nicht schon wieder. Die größte Lüge in der Geschichte des organisierten Baseballs, und was noch schlimmer ist, alle wissen, dass es eine Lüge ist, einschließlich uns beiden.«

»Verlass sofort mein Haus!«

»Das werde ich tun. In einer Minute. Sieh der Wahrheit ins Gesicht, Warren. Du wirst Weihnach-ten nicht mehr erleben. Die Chancen dafür stehen mehr als schlecht. Wenn du tot bist, werden die, die dich gekannt haben, nicht solche Sachen sagen wie: ›Der gute alte Warren, er hat seine Kinder so geliebt.‹ Oder: ›Der gute alte Warren, was hatte er doch für ein großes Herz.‹ Oder: ›Seine Frauen hat Warren wirklich geliebt.‹ Sie werden nichts dergleichen sa-gen, weil es nicht stimmt. Das Einzige, was in deinem Nachruf stehen wird – falls es überhaupt einen geben wird –, ist die Tatsache, dass du den berühmtesten Beanball in der Geschichte des Baseballs geworfen hast. Und damit eine der vielversprechendsten Karrieren aller Zeiten zerstört hast. Genau das werden sie sagen, und du kannst nichts dagegen tun.«

»Geh bitte.«

»Nichts lieber als das, Warren, aber lass mich erst ausreden. All den Kummer, den du verursacht hast – die vernachlässigten Kinder, den misshandelten Sohn, die Alkoholsucht, die Seitensprünge, die Spur der Verwüstung, die du hinterlassen hast. Das kannst du nicht wieder in Ordnung bringen, Warren, selbst wenn du das wolltest, was mit Sicherheit nie der Fall sein wird. Aber es gibt einen Menschen, dem du die Hand geben kannst, dem du dadurch vielleicht das Leben ein bisschen leichter machst. Tu es, Warren. Tu es für Joe. Tu es für dich selbst. Tu es für mich.«

»Du hast den Verstand verloren.«

Ich greife in mein Jackett und hole ein paar zusammengefaltete Seiten heraus. »Ich möchte, dass du das liest. Der Titel lautet ›Joe Castle und der Beanball‹, von Paul Tracey, Sohn von Warren Tracey. Ich habe es vor vielen Jahren geschrieben und seitdem tausendmal überarbeitet. Jedes Wort ist wahr. Ich habe vor, es so bald wie möglich nach deinem Tod zu veröffentlichen. Anfangen werde ich mit der *Sports Illustrated*, dem *Baseball Monthly* und den Zeitungen in Chicago, was danach kommt, weiß ich noch nicht, aber irgendjemand wird es schon drucken wollen. Ich will keinen Cent dafür haben. Ich will, dass die Wahrheit ans Licht kommt.« Ich lasse die Seiten auf seinen Schoß fallen. »Eine Veröffentlichung wirst du nur verhindern können, wenn du mit mir nach Calico Rock fährst und mit Joe redest.«

»Erpressung?«

»Du hast es erfasst. Eine ganz altmodische Erpressung, aber für einen guten Zweck.«

Ich werfe eine Visitenkarte auf das Sofa. »Ich übernachte in dem Best Western die Straße runter. Wenn du reden willst, treffen wir uns in deinem Lieblingsrestaurant, Wink's Waffles, morgen früh um neun.«

Er kratzt sich die Stirn, als ich den Raum verlasse. Agnes sehe ich auf dem Weg nach draußen nicht.

Ich beziehe mein Zimmer in dem Best Western, rufe zu Hause an und rede eine Weile mit Sara, dann gehe ich nach unten, um etwas zu essen. Das Restaurant ist leer und wenig einladend, doch in der Lounge sitzen ein paar Vertreter und unterhalten sich bei einem Drink. Ich suche mir einen Tisch aus, bestelle ein Sandwich und ein Glas Tee und bemerke den Fernseher in der Ecke. Die Cubs spielen gegen die Mets, der Ton ist abgedreht. Ich starre auf den Bildschirm. Es ist mein erstes Baseballspiel seit dreißig Jahren.

16

Am 8. September 1973 spielte Warren Tracey gegen die Padres in San Diego. Im ersten Inning musste er zwei Walks abgeben, wurde dann aber durch ein Double Play bei voll besetzten Bases gerettet. Im zweiten Inning gab er noch einmal zwei Walks ab, dann musste er zwei Doubles in Folge hinnehmen. Ralph Kiner, der Radiomoderator, bezeichnete sein Pitching als »Schlagtraining«. Als Yogi Berra ihn auswechselte, hatten die Padres einen Vorsprung von fünf Runs und zwei Runner auf den Bases, und die Mets, die von ihren letzten zehn Spielen acht gewonnen hatten, steckten in Schwierigkeiten.

Bei seinen letzten drei Spielen hatte Warren nur drei Innings gepitcht und dabei siebzehn Runs, zwölf Hits und dreizehn Walks abgegeben. Sein ERA – Earned Run Average – war fast dreistellig. Nachdem er Castle getroffen hatte, konnte er nicht mehr auf den Körper pitchen, was jeder Hitter in der National League wusste. Die New Yorker Sportreporter und

Fans wollten seinen Kopf, und es war klar, dass die Mets etwas unternehmen mussten. Die Mannschaft war am Gewinnen – mit Ausnahme von Warren –, und es wurde offen darüber spekuliert, welcher Pitcher ihn ersetzen sollte.

Es gab noch mehr Druck. Am 15. September sollten die Mets zu einer aus drei Spielen bestehenden Serie in Chicago ankommen, und es bestand eine sehr große Wahrscheinlichkeit, dass das Erscheinen von Warren Tracey auf dem Baseballfeld von Wrigley zu Blutvergießen führen würde. Morddrohungen gingen ein – in der Geschäftsstelle der Mets, als anonyme Leserbriefe, an die Privatadressen von Spielern der Mets. Die Chicagoer Sportreporter spekulierten darüber, wie gefährlich es im Wrigley Field sein würde, wenn die Mets so dumm wären, Tracey auf den Wurfhügel zu stellen. Commissioner Bowie Kuhn beobachtete die Situation sehr genau.

Am 14. September, drei Wochen nach dem Beanball, lösten die Mets den Vertrag mit Warren Tracey vorzeitig auf.

Mein Vater rief natürlich nicht zu Hause an, um uns zu sagen, dass er aus der Mannschaft geflogen war. Dazu hätte es einer gewissen Reife und Mutes seinerseits bedurft. Die Mets waren in L. A., und als ich das Radio einschaltete, um mir die Berichterstattung vor dem Spiel anzuhören, hörte ich, wie Lindsey Nelson und Ralph Kiner sich über den Rauswurf von Warren Tracey unterhielten. Er habe sich aus der Mannschaft gepitcht. Dann sprachen sie eine Weile über seine Karriere und die Saison. Einen Monat zuvor habe er noch einen Record von sieben und sieben gehabt und gut gepitcht. Doch seit dem Vorfall mit Castle sei sein Spiel ein Desaster gewesen.

Nelson und Kiner war die Erleichterung über die Entscheidung der Mets anzuhören. Niemand, der mit den Mets unterwegs war, wollte am nächsten Tag mit Warren Tracey zusammen das Wrigley Field betreten.

Meine Mutter spielte gerade Tennis in einem Klub, der nur ein paar Häuserblocks entfernt war. Ich war der Meinung, sie sollte wissen, dass ihr Mann plötzlich arbeitslos war, je eher, desto besser. Ich fuhr mit dem Rad hinüber, sah ihr von Weitem beim Spielen zu, und als sie fertig war, fing ich sie ab, als sie gerade den Platz verließ. Es war ein schwerer Schlag für sie. Er war nicht nur aus der Mannschaft geflogen, sondern stand mit vierunddreißig Jahren sicher auch vor dem Ende seiner Karriere. Ich hatte keine Ahnung, wie viel Geld sie gespart hatten oder ob sie überhaupt etwas auf der hohen Kante hatten, obwohl meine Mutter alles andere als verschwenderisch lebte. Und jetzt, wo er nichts mehr zu tun hatte, würde er mehr Zeit zu Hause verbringen, eine Vorstellung, die keinen von uns besonders freute.

Unsere kleine Welt brach auseinander. Mein Vater war arbeitslos und als Baseballspieler abgeschrieben. Er trank immer häufiger, war nachts immer häufiger unterwegs und stritt immer häufiger mit meiner

Mutter, die oft Bemerkungen über ein neues Leben fallen ließ, ein Leben ohne ihn. Wir hatten zweimal unsere Telefonnummer geändert und besaßen inzwischen eine Geheimnummer. Es war nichts Ungewöhnliches, einen Streifenwagen vor unserem Haus parken zu sehen. Wir hatten Angst.

Die Cubs gewannen zwei der drei Spiele gegen die Mets. Es gab keine Schlägereien, keine Beanballs und keine Platzverweise. Als die Serie begann, führten die beiden Teams gemeinsam die National League East an, und da noch fünfzehn Spiele zu absolvieren waren, konnte sich niemand weitere Sperren oder Verletzungen leisten.

Ohne Joe im Line-up hatten die Cubs elf Spiele gewonnen und dreizehn verloren. Der Vorsprung von zehn Spielen, den sie vor drei Wochen noch gehabt hatten, war auf ein Spiel zusammengeschrumpft. Sie gingen unter, in bester Clubs-Tradition, während die Mets am Gewinnen waren. Für die Fans der Cubs war der Beanball auf Joe Castle ein gezielter Angriff gewesen, den die Mets geplant hatten, um ihn vom Feld zu bekommen und seine Mannschaft ins Straucheln zu bringen. Mit Warren Tracey hatten die Mets den perfekten Kampfhund – einen mäßig erfolgreichen Kopfjäger, der die Drecksarbeit erledigen konnte und dann problemlos entsorgt wurde. Seaver, Koosman und Matlack brauchten sich nicht die Finger schmutzig zu machen.

Das war nicht nur dummes Geschwätz der Betrunkenen in den Bars. Viele Sportreporter in Chicago waren zu Verschwörungstheoretikern geworden und gossen immer wieder Öl ins Feuer.

Manche hegten immer noch die glühende, aber schwindende Hoffnung, dass Joe aus dem Koma erwachen, aus dem Bett springen, das Krankenhaus verlassen und dort weitermachen würde, wo er aufgehört hatte. Doch mit jedem Tag setzte sich die traurige Realität ein bisschen mehr durch. Wartet bis nächstes Jahr, hatten die Cubs immer gesagt, doch jetzt meinten sie es auch so. Wartet bis nächstes Jahr, wenn Joe wieder da ist, ein Jahr älter und mit mehr Erfahrung. Wartet.

Am 18. September, dem Tag, an dem die Serie endete und die Mets nach Montreal weiterzogen, wachte Joe Castle auf und sprach mit einer Krankenschwester. Ein Lokalsender berichtete darüber, und meine Mutter hörte es zuerst. Sie sagte es mir, und ich fuhr zu Tom Sabbatini hinüber, um mit ihm über die aufregenden Neuigkeiten zu sprechen. Mr. Sabbatini wusste, was ich durchmachte, und bot an, uns am folgenden Samstag ins Krankenhaus zu begleiten.

Am nächsten Tag ging ich nach der Schule in die Bücherei und las die Berichte in der *Tribune* und der *Sun-Times*. Joes Zustand war immer noch ernst, doch wenigstens war er wach, redete und aß. Red saß an seinem Bett und war damit einverstanden, dass ein Reporter der *Tribune* für zehn Minuten in das Krankenzimmer kam. Der Reporter fragte Joe, wie er sich fühle. »Mir ging's schon mal besser« war seine Antwort. Es hieß, er stehe unter dem Einfluss von Beruhigungsmitteln und sei nicht immer ansprechbar. Auf dem Foto, das den Artikel begleitete, war Joe Castle mit dick verbundenem Kopf zu sehen, als wäre er im Krieg verletzt worden. Auch sein rechtes Auge war mit Mull bedeckt. Das Auge machte den Ärzten große Sorgen.

Das Mount Sinai wurde überflutet mit Karten, Blumen, Geschenken und Besuchern, die Joe sehen wollten. Im Erdgeschoss war in einem großen, offenen Foyer eine Art Schrein für Joe errichtet worden. In der Mitte befand sich ein großes Foto von ihm, das gleiche, das auch für die Titelseite der *Sports Illustrated* verwendet worden war. Links und rechts davon hingen lange, breite Korkplatten, auf die Hunderte von Fans Zettel, Karten und Briefe an Joe gesteckt hatten. Unter den Pinnwänden standen Pappkartons, die mit Blumen, Pralinen und anderen Geschenken gefüllt waren.

Tom und ich schrieben Briefe, die wir den anderen allerdings nicht lesen ließen, bevor wir sie in Umschläge steckten. Um Joes Aufmerksamkeit zu bekommen, begann mein Brief mit: »Lieber Joe, ich heiße Paul Tracey und bin der Sohn von Warren. Was mein Vater getan hat, tut mir sehr leid.« Dann schrieb ich, dass ich seine Karriere genau verfolgt hatte, dass ich ihn für den Größten hielt und dass es ihm hoffentlich bald besser ging und er wieder spielen konnte.

Am Samstagmorgen nahmen wir den Zug in die Stadt. Es war ein herrlicher Herbsttag. Die Blätter verfärbten sich allmählich und raschelten im Wind, während wir durch den Central Park gingen. Als wir das Krankenhaus in der Fifth Avenue betraten, sahen wir ein handgemaltes Schild, auf dem JOE-CASTLE-WAND stand und ein Pfeil nach links deutete. Wir fanden die Wand und pinnten unsere Briefe nebeneinander und so nah an seinem Foto wie möglich an die Korkplatte. Eine Mitarbeiterin des Krankenhauses erklärte uns, dass die Briefe, Karten und Geschenke alle zwei oder drei Tage eingesammelt würden und später an Mr. Castle übergeben werden sollten. Dann bedankte sie sich dafür, dass wir gekommen waren.

»Wo ist er?«, fragte ich.

»Dritter Stock, aber da kannst du nicht hin«, erwiderte sie.

»Wie geht es ihm heute?«

»Ich habe gehört, dass es ihm besser geht.« Sie hatte recht. Den Zeitungen zufolge machte Joe langsam Fortschritte, doch ein Comeback schien zweifelhaft zu sein. Wir blieben noch ein paar Minuten und sahen uns das Sammelsurium an Briefen, Karten und Geschenken an. Ich warf einen Blick in die breiten Korridore, in denen die in Krankenhäusern übliche Hektik herrschte. Am liebsten hätte ich mich unauffällig davongemacht, den Fahrstuhl gesucht und es irgendwie bis in den dritten Stock geschafft, um mich dort in Joes Zimmer zu schleichen und mit ihm zu reden. Doch ich war so vernünftig, es nicht zu tun.

Mr. Sabbatini war in der Lower East Side aufgewachsen und kannte die Stadt so gut wie ein Taxifahrer. Außerdem war er ein Fan der Yankees, aber ein netter. Er hatte Karten für ein Spiel, und wir verbrachten den sonnigen Nachmittag damit, den Yankees zuzusehen, die mit Thurman Munson, Graig Nettles und Bobby Murcer gegen die Orioles spielten, für die Brooks Robinson, Boog Powell und Paul Blair antraten.

Tom und ich sahen ein, dass wir etwas voreingenommen gewesen waren, als wir uns die National League als einzigen möglichen Arbeitgeber in der Zukunft ausgesucht hatten. Wir diskutierten darüber, dass wir vielleicht auch für ein Team der American League spielen könnten. Mr. Sabbatini hielt das für sehr vernünftig.

Doch irgendetwas war anders. Meine Träume waren nicht mehr ganz so klar und aufregend. Meine Begeisterung für das Spiel nicht mehr ganz so groß. Ich alberte mit Tom herum, als wir darüber sprachen, welche Teams der American League für uns infrage kämen. Wir wogen die wichtigen Faktoren ab – Mannschaftsfarben, Stadiongröße, Siegstatistik, große Spieler der Vergangenheit und so weiter –, aber es machte nicht mehr so viel Spaß wie noch vor ein paar Monaten.

Mr. Sabbatini hörte zu und lachte und gab gute

Ratschläge. Er war ein ausgesprochen freundlichen Mann, der sich Zeit für uns nahm und nur Nettes sagte. An dem Tag kümmerte er sich ganz rührend um mich. Er wusste, dass meine Welt aus den Fugen geraten war, und wollte mir zu verstehen geben, dass er auf meiner Seite stand.

17

Um 8.30 Uhr betrete ich Wink's Waffle und frage nach einem Tisch am Fenster. In dem Restaurant wimmelt es von Senioren, die dank der letzten Gutscheinaktion, mit der gezielt um über Fünfundsechzigjährige geworben wurde, entschieden zu viele Kalorien in sich hineinstopfen. Die Kellnerin will mich nicht an den Tisch lassen, den ich haben möchte, daher sage ich, es würden noch mindestens drei andere Gäste kommen. Das funktioniert, und ich bekomme meinen Tisch, der, wie ich mich erinnern kann, ganz in der Nähe jenes Tisches steht, an dem wir vor vier Jahren saßen, als meine Töchter ihren Großvater väterlicherseits zum ersten und letzten Mal trafen. Ich trinke Kaffee, lese Zeitung und behalte den Parkplatz im Auge.

Um 8.55 Uhr taucht auf dem Weg neben dem Restaurant ein Golfwägelchen auf. Es ist Warren, allein. Er parkt in einer Reihe anderer Wägelchen, steigt langsam aus und streckt den Rücken. Dann kommt er auf das Restaurant zu, mit den vorsichtigen Bewegungen, die man von jemandem, der sich gerade von einer schweren Operation erholt, erwartet. Obwohl er so krank ist, hat er den unverkennbaren Gang eines alten Mannes, der früher einmal ein durchtrainierter Sportler war. Kopf hoch, Brust raus, mit einem leichten Anflug von Arroganz. In der Hand hält er einige Seiten Papier, ohne Zweifel meine Geschichte über den Beanball.

Ich winke ihn zu mir, und er kommt. Kein Händedruck, kein Lächeln. Seine Augen sind rot und verschwollen, als hätte er schlecht geschlafen. »Diese Scheiße kannst du nicht drucken lassen« sind seine ersten Worte.

»Guten Morgen, Warren. Hast du gut geschlafen?«

»Du hast gehört, was ich gesagt habe.«

»Ich kann und ich werde. Warum so vulgär, Warren? Ist es zu persönlich? Du willst doch nicht etwa behaupten, dass es lauter Lügen sind.«

»Doch. Es sind lauter Lügen.«

Die Kellnerin kommt an unseren Tisch, und er bestellt Kaffee. Als sie weg ist, redet er weiter. »Was willst du damit eigentlich beweisen?«

»Nichts. Ich versuche lediglich, dich dazu zu bringen, dich mit den Konsequenzen auseinanderzusetzen, auch wenn das bis jetzt nicht sehr oft in deinem Leben vorgekommen ist.«

»Du bist wirklich ein Besserwisser geworden, was?«

»Ich weiß gar nichts besser, Warren. In deinem

Leben gibt es eine Menge offener Fragen, und diese eine kannst du beantworten, bevor du gehst.«

»Ich gehe nirgendwohin. Ich kämpfe mit allen Mitteln gegen dieses Ding, und meine Ärzte wissen erheblich mehr als du.«

Ich werde mich nicht mit ihm darüber streiten, ob er stirbt oder nicht. Wenn er glaubt, dass er zu den fünf Prozent gehört, die das Glück haben, noch fünf Jahre zu leben, werde ich nicht das Gegenteil behaupten. Sein Kaffee wird serviert, und die Kellnerin erkundigt sich, wann die anderen kommen.

»Wir sind nur zu zweit«, erwidere ich.

»Möchten Sie jetzt bestellen?«

»Ja. Ich glaube, ich nehme eine Waffel. Blaubeere, bitte. Und eine Wurst.«

»Ich möchte nichts«, sagt Warren schroff und winkt sie fort. »Wer soll diesen Mist drucken?«

»Liest du die *Sports Illustrated*?«

»Nein.«

»Es gibt dort einen Chefredakteur namens Jerry Kilpatrick. Baseball ist sein Lieblingsthema. Er kommt aus Chicago, ist in meinem Alter. Ich habe zweimal mit ihm gesprochen, und er ist an der Geschichte interessiert – und an der Wahrheit. Joe Castle wird man in Chicago nie vergessen, und Kilpatrick glaubt, dass das einen großartigen Artikel gibt. Vor allem wenn du tot bist.«

»Du kennst die Wahrheit doch gar nicht«, brummt er.

»Wir beide kennen die Wahrheit.«

Er nippt an seinem Kaffee und starrt aus dem Fenster. »Du hast keine Ahnung, wovon du da redest. Du kennst das Spiel doch gar nicht«, sagt er schließlich.

»Redest du von dem Kodex, Warren? Von den ungeschriebenen Gesetze des Baseballs, von denen eines besagt, dass ein Beanball dazu da ist, um erstens einen Batter von der Plate zu bekommen oder zweitens sich zu revanchieren, wenn einer deiner Spieler getroffen wird, oder drittens einem Batter einen Dämpfer zu verpassen, wenn er den Pitcher dumm aussehen lässt? An viertens und fünftens kann ich mich nicht mehr erinnern. Redest du davon, Warren? Denn dann liegst du komplett daneben. Joe stand nicht zu nah an der Plate, niemand hat auf deine Hitter geworfen, und Joe hat auch nichts getan, um dich dumm aussehen zu lassen. Du wolltest ihn am Kopf treffen, weil du ihm seinen Erfolg nicht gegönnt hast und es dir Spaß gemacht hat, Spieler zu treffen und Schlägereien anzuzetteln. Was war der Grund für den Beanball, Warren? Du hast ihn so oft benutzt. Vielleicht war dir klar geworden, dass du Joe anders nicht vom Spielfeld bekommst, und deshalb hast du ihn am Kopf getroffen. War es so?«

»Du hast keine Ahnung.«

»Okay, dann erklär es mir. Warum hast du es nie bereut, Joe Castle mit Absicht im Gesicht getroffen zu haben?«

»Es gehört zum Baseball dazu. Das ist so ähnlich wie der Footballspieler, der sich das Genick bricht oder einen Meniskusschaden hat und nie wieder

spielen kann. Der Boxer mit Hirnschaden. Der Renn-
fahrer, der bei einem Unfall auf der Strecke ums
Leben kommt. Der Skifahrer, der in einen Abgrund
fährt. Das ist Sport, okay? Solche Sachen passieren
eben, und wenn es dazu kommt, läuft man nicht
weinend in der Gegend rum und entschuldigt sich
und versucht, alles wieder in Ordnung zu bringen.
Das ist nicht das Spiel, das ich kenne.«

Ich werde nicht mit ihm streiten. Ich könnte die
nächste Stunde damit verbringen, Löcher in seine
verdrehte Logik zu schießen, was aber rein gar nichts
bringen würde. Wir legen eine Pause ein und hören
dem Geplapper um uns herum zu. Mein Vater und
ich, zum ersten Mal seit Jahrzehnten. Genau genommen kann ich mich gar nicht mehr erinnern, wann
ich das letzte Mal mit ihm allein gewesen bin. Nachdem er die Familie im Stich gelassen hat, habe ich
ihn ein halbes Dutzend Mal gesehen, und nur zwei
von diesen kleinen Familientreffen waren seine Idee
gewesen. Es gibt so vieles, was ich ihm jetzt sagen
möchte – nichts davon ist besonders nett –, und ich
muss mich beherrschen, um nicht den Müll eines
ganzen Lebens über ihm auszuschütten. Doch ich
habe mir geschworen, dass ich ihn nicht beschimpfen werde. Angesichts seiner aktuellen emotionalen
Verfassung würde es mich wundern, wenn Warren
Tracey sitzen bliebe, wenn ich ihm sage, was ich von
ihm halte. Er ist immer noch ein Kämpfer.

Die Kellnerin bringt meine Waffel, die dick mit
Schlagsahne überzogen ist. Ich beiße in die Wurst –

so etwas würde Sara nie im Leben kaufen – und komme dann wieder auf den Grund unseres Treffens zu sprechen. »Dann gibst du also nach dreißig Jahren endlich zu, dass du Joe absichtlich getroffen hast?«

»Am liebsten würde ich gar nichts mehr zu dir sagen, weil du es sonst vielleicht in deine kleine Kurzgeschichte mit einbaust. Und da du Familienangelegenheiten nach draußen tragen willst, vertraue ich dir sowieso nicht.«

»Na gut. Du hast mein Wort darauf, dass nichts von dem, was du heute sagst, in die Geschichte kommt.«

»Ich traue dir trotzdem nicht.«

»Ich werde jetzt nicht mit dir über Dinge wie Vertrauen und Verantwortung diskutieren. Warum hast du den Beanball auf Joe Castle geworfen?«

»Er war ein arroganter Kerl, und es hat mir nicht gefallen, was er mit Dutch Patton gemacht hat. Dutch und ich haben zusammen in Cleveland gespielt.«

»Er war nicht arrogant, jedenfalls nicht arroganter als jeder andere Spieler in den Major Leagues. Und du hast nie mit Dutch Patton zusammen in Cleveland gespielt. Dutch hat nie für die Indians gespielt.« Ich beiße in meine Waffel, ohne den Blick von ihm abzuwenden. Ihm klappt die Kinnlade herunter, und seine Augen funkeln, als würde er mir gleich eine reinhauen. Plötzlich verzieht er das Gesicht und atmet heftig aus, als ein scharfer Schmerz durch seinen Bauch zuckt. Ich habe vergessen, was er gerade durchmacht.

»Alles in Ordnung?«, frage ich.

»Mir geht's gut.«

»Du siehst aber nicht so aus.«

»Das wird schon wieder. Ich habe vor, morgen Golf zu spielen.«

Ich bin froh, dass er das Thema wechselt. Wir reden einige Minuten über Golf, und die Stimmung verbessert sich erheblich. Dann wird sie wieder schlechter, denn plötzlich fällt mir ein, dass er mit sechs Jahren anfing Golf zu spielen, dass er mit sechzehn die Maryland Open gewann und dass er mit mir noch nie eine Runde gespielt hat. Ich verstehe die Sache mit der DNS und so, aber der Mann, der mir gegenübersitzt, ist nur mein biologischer Vater. Sonst nichts.

Ich esse den Rest der Waffel und der Wurst und schiebe den Teller weg. »Du warst dabei, mir zu erklären, warum du den Beanball auf Joe geworfen hast. Ich glaube, mit diesem Teil unseres Gesprächs sind wir noch nicht fertig.«

»Wenn du so verdammt klug bist, warum erklärst du es mir dann nicht?«, fährt er mich wütend an.

»Ich weiß es, Warren. Ich weiß es schon lange. Es gibt mehrere Gründe dafür, warum du Joe treffen wolltest, und sie sind alle verlogen und ziemlich krank, aber wie du gesagt hast, so war dein Spiel. Du hast ihm den Erfolg missgönnt und die Aufmerksamkeit, die er bekommen hat. In deinem verdrehten Hirn hat er dich dumm aussehen lassen, als er im ersten Inning einen Home Run geschlagen hat. Du wolltest der Erste sein, der ihn am Kopf trifft. Du hast es genossen, Spieler zu treffen und Schlägereien anzuzetteln. Und du warst neidisch, weil ich, wie unzählige andere kleine Jungs im Sommer 1973, Joe Castle angebetet habe. Du hattest mich verprügelt. Und dann hast du versucht, das wiedergutzumachen, du hast versucht, mein Held zu sein, und du konntest den Gedanken nicht ertragen, dass ich davon träumte, ein anderer Spieler als du zu werden. Das sind die Gründe dafür, und vermutlich gibt es noch ein paar mehr, aber das reicht. Ich weiß Gott sei Dank nicht, was du denkst.«

»Dann ging es also um dich?«

»Das habe ich nicht gesagt, Warren. Nur du weißt, warum du es getan hast. Das Kranke daran ist, dass du es nicht zugeben kannst. Du lügst seit dreißig Jahren und hattest nie genug Rückgrat, zuzugeben, was du getan hast.« Das klingt jetzt viel schärfer als beabsichtigt.

Seine Schultern sinken ein wenig nach unten, und auf seiner Stirn stehen plötzlich kleine Schweißperlen. Er kneift sich in die Nase. »Paul, es tut mir leid, dass ich dich verprügelt habe«, flüstert er fast.

Ich verdrehe frustriert die Augen und hätte am liebsten geflucht. »Dafür hast du dich schon hundertmal entschuldigt. Ich bin nicht hier, weil du mich geschlagen hast. Ich bin nicht hier, um dir vorzuhalten, welche Fehler du als Vater gemacht hast. Damit habe ich schon vor langer Zeit abgeschlossen.«

Mit einer Papierserviette wischt er sich den Schweiß aus dem Gesicht. Seine Haut hat das bisschen Farbe verloren. »Ich habe auf Joe gezielt, aber ich schwöre, dass ich ihn nicht verletzen wollte«, sagt er mit einer Stimme, die plötzlich schwach und heiser klingt.

Darauf habe ich gewartet. Es ist eine der größten Lügen des Baseballs, eine der faulsten Ausreden in der Geschichte dieses Sports. Ich schüttele ungläubig den Kopf. »Mein Gott, das überrascht mich«, sage ich. »Die gleiche dämliche Ausrede, die Pitcher schon seit hundert Jahren benutzen. Dann will ich das mal klarstellen, Warren. Du wirfst einem Batter mit voller Absicht einen Fastball ins Gesicht, mit einhundertvierzig oder einhundertfünfzig Stundenkilometern, aus achtzehn Metern Entfernung, einer Distanz, bei der ihm weniger als eine Sekunde für eine Reaktion bleibt, mit der Absicht, dem Ziel, dem Traum, zu sehen, wie der Ball ihn irgendwo oberhalb des Halses trifft und ihn umhaut, vorzugsweise so, dass er bewusstlos ist. Wenn sie ihn vom Feld tragen müssen, keine große Sache. Wenn er ein paar Spiele verpasst, keine große Sache. Doch wenn ein Beanball tatsächlich einmal schweren Schaden anrichtet, kannst du dich mit dem alten Spruch ›Aber ich wollte ihn doch nicht verletzen‹ aus der Affäre ziehen. Merkst du denn nicht, wie lächerlich das ist? Du hörst dich an wie ein Dummkopf, wenn du das sagst.«

Mir ist klar, dass das wieder zu scharf klingt, doch im Moment kämpfe ich darum, nicht die Beherrschung zu verlieren.

Warren lässt den Kopf hängen, nickt und sieht dann durch das Fenster hinaus. Vor dem Eingang drängen sich Senioren. Die Kellnerin sieht immer wieder in unsere Richtung. Ich glaube, sie braucht unseren Tisch, aber ich habe es nicht eilig.

»Es gehörte doch zum Spiel dazu«, murmelt er schließlich.

»Zu deinem Spiel vielleicht«, gebe ich zurück. »Aber du warst ja auch ein Kopfjäger.«

»War ich nicht.«

»Warum hast du dann auf den Kopf der Batter geworfen? Warum hast du Joe nicht am Oberschenkel, an der Hüfte oder an die Rippen getroffen, an irgendeinem Körperteil unterhalb der Schultern? Das schreibt der Kodex doch vor, nicht wahr, Warren? Der Kodex schreibt vor, dass es manchmal notwendig ist, einen Spieler zu treffen – das kann ich verstehen. Aber der Kodex sagt auch, dass man niemals auf den Kopf eines Spielers wirft. Aber du warst ja einer von den ganz Harten, stimmt's? Du wolltest Joe am Kopf treffen.«

»Dieses Gespräch langweilt mich. Was willst du, Paul?«

»Lass uns zusammen nach Calico Rock fahren. Du kannst dich mit Joe hinsetzen, ihm die Hand geben, sagen, was zu sagen ist, ein langes Gespräch führen, über Baseball, über das Leben, was auch immer. Ich werde dabei sein. Joe hat zwei Brüder, die sich um ihn kümmern. Ich bin sicher, dass sie auch dabei sein werden. Joe und seiner Familie würde es sehr viel bedeuten. Warren, ich verspreche dir, dass du es nicht bereuen wirst. Lass uns dieses Kapitel abschließen. Jetzt.«

Er nimmt die Seiten mit meiner Geschichte. »Und wenn ich es nicht tue, wirst du das veröffentlichen, wenn ich tot bin.«

»Das ist der Plan«, erwidere ich. Inzwischen bin ich mir nicht mehr so sicher, ob Erpressung die richtige Taktik war.

Er reißt die Seiten in der Mitte durch und wirft sie mir zu. »Mach, was du willst. Ich werde tot sein.« Er steht auf und drängt sich durch die Menge am Eingang, wobei mir wieder auffällt, wie geschmeidig seine Bewegungen für einen alten, kranken Mann sind. Er steigt in das Golfwägelchen, ergreift das Steuer und erstarrt, als hätte er wieder Schmerzen. Er blickt vor sich ins Leere, wartet, tief in Gedanken versunken, und eine Sekunde lang denke ich, dass er vielleicht seine Meinung geändert hat.

Dann fährt er weg, und ich bin sicher, dass ich ihn nie wiedersehen werde.

18

Am 23. September gaben die Ärzte eine Pressemitteilung zu Joes Gesundheitszustand heraus. Aufgrund der Verletzung des Sehnervs hatte Joe mindestens achtzig Prozent der Sehkraft in seinem rechten Auge verloren, was auch nie mehr besser werden würde. Die Wahrscheinlichkeit, dass er jemals wieder spielen würde, war ihrer Ansicht nach »extrem gering«.

Die Nachricht brach den Fans der Cubs das Herz. Ihr alljährliches »Warte bis nächstes Jahr« hatte plötzlich jede Verheißung und Vorfreude verloren. Der größte Hoffnungsträger in der langen, enttäuschenden Geschichte der Cubs würde nie wieder spielen.

Mit dem Kampfgeist der Spieler war es danach vorbei. Joes Mannschaftskameraden hatten ohne ihn einen schweren Stand, und die Nachrichten aus New York waren verheerend. Am späten Nachmittag wurden sie von den Braves vernichtend geschlagen, und die nächsten drei Spiele sollten sie ebenfalls verlieren, was sie zwei Spiele hinter die Mets zurückfallen ließ, die am Gewinnen und drauf und dran waren, die National League East für sich zu entscheiden. Die Mets sollten die Reds auf dem Weg in die World Series schlagen, und das ohne einen Spieler mit einem Schlagdurchschnitt von über .300 und ohne einen Pitcher, der zwanzig Spiele gewann. Die Hoffnung auf eine Rückkehr der »Miracle Mets« stieg, als sie sieben Spiele gegen die Oakland A's absolvierten, bis sie die World Series im letzten Spiel doch noch verloren.

Die außergewöhnliche, aber tragische Karriere von Joe Castle war zu Ende. Seine Stats waren atemberaubend – in achtunddreißig Spielen hatte er einhundertsechzig At Bats, achtundsiebzig Hits, einundzwanzig Home Runs, einundzwanzig Doubles, acht Triples, einunddreißig gestohlene Bases und einundvierzig RBIs. Sein Schlagdurchschnitt von .488 war der höchste der Major Leagues, wurde aber offiziell nicht gewertet, da er nicht genügend Spiele hatte. Seine anderen Rekorde waren gültig: (1) der erste Rookie, der drei Home Runs in seinem ersten Spiel schlug, (2) der erste Rookie, der in seinen ersten neunzehn Spielen Safe Hits erzielte, (3) der erste Rookie, der in neun Spielen hintereinander eine Base stahl, (4) der in sieben einzelnen Spielen die zweite und dritte Base stahl, und sein bekanntester Rekord: (5) fünfzehn Hits nacheinander in fünfzehn At Bats. Außerdem zog er mit mehreren anderen Rookie-Rekorden gleich, unter anderem vier Hits im ersten Spiel der Major League.

Doch am 23. September 1973 bedeuteten die Stats ihm und seinen Fans nicht viel.

Mein Vater kam dann irgendwann doch noch nach Hause, nachdem die Mets ihn gefeuert hatten, und bei unserem ersten Abendessen als Familie versuchte er, in Bezug auf seine Zukunft optimistisch zu wirken. Angeblich seien mehrere Mannschaften für die Spielzeit 1974 an ihm interessiert. Verhandlungen würden geführt, Verträge angeboten. Wir hörten zu und gaben vor, ihm zu glauben, doch wir wussten, dass er log.

Um sich zu beschäftigen, strich er die Garage innen, montierte neue Dachrinnen und werkelte so viel an seinem Auto herum, dass man meinen konnte, er wohnte darin.

Meine Mutter spielte häufig Tennis und suchte heimlich nach einer Arbeit.

Eines Nachmittags kam ich von der Schule nach Hause und hatte wie immer vor, möglichst schnell wieder zu gehen und die Sabbatinis zu besuchen. Mein Vater saß im Wohnzimmer vor dem Fernseher, und als ich an ihm vorbei zur Tür lief, rief er mir nach. »Paul, hast du Zeit für ein paar Würfe? Mein Arm braucht ein bisschen Bewegung.«

So sehr ich Nein sagen wollte, ich konnte es nicht. »Ja, klar.«

Ich hatte mir geschworen, nie wieder Baseball mit meinem Vater zu spielen.

… eine offene Fläche, auf der wir einen kleinen Backstop und eine Home Plate aus Holz hatten. Er packte mich am Arm. »Ignorier mich nie wieder«, sagte er. »Hast du gehört? Ich bin dein Vater und weiß tausendmal mehr über Baseball als diese Clowns, die sich Coach nennen.« Ich versuchte, von ihm wegzukommen, doch seine Fingernägel gruben sich in meine Haut. Mit jeder Sekunde wurde er wütender. »Hast du gehört? Ignorier mich nie wieder.«

»Ja, Dad«, sagte ich, um einer Tracht Prügel zu entgehen.

Er ließ meinen Arm los und legte zwei Finger unter mein Kinn. »Sieh mich an«, schimpfte er. »Sieh mir in die Augen, wenn ich mit dir rede. Dieses Spiel kann man richtig oder falsch spielen, und du spielst es völlig falsch. Du darfst niemals, ich wiederhole, niemals zulassen, dass ein Hitter dich dumm aussehen lässt, ganz gleich, auf welchem Niveau du spielst. Es ist egal, ob du acht Jahre alt bist oder in der World Series spielst, du darfst niemals zulassen, dass dich ein Hitter so blamiert. Und jetzt zeige ich dir, wie man mit solchen Arschlöchern umgeht. Komm her.«

Ich nahm den Schläger und stellte mich an die Home Plate. Er ging zurück, fünfzehn Meter vielleicht. Er trug seinen Handschuh, in dem er drei Bälle hatte. Ich war elf, ohne Schlaghelm und stand einem Pitcher der Mets gegenüber, der nicht nur wütend war, sondern mich auch noch die primitive Kunst lehren wollte, einen Batter mit einem Beanball zu treffen.

»Der Kodex schreibt vor, dass er getroffen werden muss. Wenn er also das nächste Mal seinen arroganten Arsch an die Plate bewegt, hast du die Pflicht, ihn zu treffen. Das Gleiche gilt für Spieler, die auf einen von deinen Mannschaftskameraden geworfen haben, denn dann musst du dein Team beschützen. Hörst du mir zu?«

»Ja, Dad.«

»Ich mache das mit drei Pitches. Einige legen sofort los und treffen sie gleich mit dem ersten Pitch. Ich mache das nicht, weil die meisten Batter beim ersten Pitch damit rechnen. Ich lege sie rein. Mein erster Pitch ist ein Fastball, der dreißig Zentimeter außerhalb liegt.«

Er ging in seinen Wind-up und warf einen Fastball, der dreißig Zentimeter außerhalb der Strike Zone lag. Er warf nicht mit aller Kraft, aber ich war ja auch noch nicht ausgewachsen. Der Pitch kam mir furchtbar schnell vor.

»Nicht ausweichen«, knurrte er. »Zweiter Pitch, genauso wie der erste.« Noch ein Wind-up, noch ein Fastball dreißig Zentimeter außerhalb.

»Und jetzt kriegst du den Scheißkerl dran. Er beugt sich ein bisschen vor, glaubt, ich werfe an die Ecke, und denkt gar nicht mehr daran, dass ich vielleicht auf ihn zielen könnte. Ich werde dich nicht am Kopf treffen, also bleib, wo du bist, okay? Stell dich hin, Paul, wie ein richtiger Spieler.«

Ich hatte Angst und war unfähig, mich zu bewegen. Er ging in seinen Wind-up und warf den Ball auf mich, nicht sehr hoch und nicht so hart, wie er konnte, doch als der Ball meinen Oberschenkel traf, spürte ich einen brennenden Schmerz, und ich glaube, ich schrie auf. »Na, siehst du«, rief er. »Du wirst es überleben. So macht man das. Zwei Fastballs außerhalb, dann triffst du den Mistkerl, und wenn es geht, am Kopf.« Er sammelte die drei Bälle ein, während ich die schmerzende Stelle am Oberschenkel rieb und versuchte, nicht zu weinen. »Gib mir den Schläger und hol deinen Handschuh«, befahl er.

Ich war jetzt der Pitcher, und er war am Schlag. »Zwei Fastballs außerhalb. Na los.«

Mein erster Pitch landete im Gras, fast einen Meter von der Plate entfernt. »Du musst den Handschuh des Catchers treffen, Paul. Verdammt noch mal, jetzt mach schon«, fuhr er mich an, während er den Schläger schwang, als wäre er ein richtiger Hitter. Sein Karrieredurchschnitt beim Schlagen lag bei .159.

Den zweiten Pitch warf ich außerhalb und höher.

»Jetzt kommt's«, sagte er, während er einen Schritt auf mich zu machte. »Du triffst mich genau hier.« Er tippte sich an die Schläfe. »Aufs Ohr, Paul.« Er war wieder an der Plate und ging in Stellung. »Ziel auf mein Ohr. Du kannst gar nicht so hart werfen, dass du mir wehtust.«

Ich stand zwölf Meter von ihm entfernt, hatte den Ball in der Hand und wollte unbedingt einen Pitch werfen, der ihm die Zähne ausschlug, Blut fließen ließ, seinen Schädel zertrümmerte und ihn bewusstlos ins Gras sinken ließ. Ich warf den Ball, der genau durch die Mitte ging, ein perfekter Strike. Als der Ball vom Backstop abprallte, fing er ihn auf und warf ihn zu mir zurück. »Komm schon, du Schisser. Verdammt, jetzt triff mich endlich.«

Ich warf noch einen Fastball, der höher, aber immer noch innerhalb der Strike Zone war. Das machte ihn noch wütender, und nachdem er den Ball geholt hatte, schmetterte er ihn zu mir zurück. Es wurde schon dunkel, und er warf viel zu hart. Der Ball prallte vom Netz meines Handschuhs ab und traf mich auf der Brust. Ich schrie auf und begann zu weinen, und bevor ich wusste, wie mir geschah, stand er direkt vor mir. »Wenn du jetzt nicht diesen Ball nimmst und mich damit am Kopf triffst, versohle ich dir den Hintern. Hast du das verstanden?«

Als er zur Plate stürmte, warf ich einen Blick zum Haus hinüber. Im ersten Stock sah Jill aus dem Fenster ihres Zimmers zu uns herüber.

Mein dritter Versuch eines Beanballs war genauso erfolglos wie die ersten beiden. Der Pitch war hoch und nah am Körper, aber nicht nah genug, um den Schaden zu verursachen, den ich mir ausgemalt hatte. Um mir zu zeigen, wie sehr er sich über mich ärgerte, fing er den Pitch mit der linken Hand, ohne Handschuh. Mein Wurf war eine Beleidigung für einen Pitcher, aber eigentlich war mir das egal. Ich wollte nur noch weg von diesem Verrückten. Er schleuderte den Schläger in Richtung des Hauses und stürmte auf mich zu.

»Du bist ein Feigling, weißt du das? Ein erbärmlicher Feigling. Man braucht Mut, um auf einen Batter zu werfen, aber ein Pitcher muss so etwas tun.«

»Nicht in der Little League«, stammelte ich.

»In jeder League!«

Vermutlich war ich zu klein, um einen Faustschlag abzubekommen, daher schlug er mir mit dem linken Handrücken ins Gesicht. Selbstverständlich benutzte er nicht seine Wurfhand. Ich schrie auf und fiel hin, und in dem Moment, in dem er mich am Kragen packte, hörte ich meine Mutter schreien: »Lass ihn los, Warren!«

Sie stand keine drei Meter von uns entfernt, den Base-ballschläger in der Hand – vermutlich zum ersten Mal in ihrem Leben –, und zielte damit auf meinen Vater. Jill ver-steckte sich hinter ihr. Für ein paar Sekunden bewegte sich niemand, dann nutzte ich die Gelegenheit und krabbelte weg.

»Leg den Schläger aus der Hand«, sagte er.

»Du hast ihm ins Gesicht geschlagen«, schleuderte sie ihm entgegen. »Wie kannst du nur?«

»Er hat ihn auch mit dem Baseball getroffen«, fügte Jill hinzu.

»Halt den Mund«, fuhr er sie an.

Es vergingen noch ein paar Sekunden, bis alle wieder Luft holten. Langsam gingen wir ins Haus, und jeder be-obachtete argwöhnisch den anderen. Meine Eltern zogen sich in den Keller zurück und stritten lange miteinander; als mein Vater genug hatte, fuhr er weg.

(Auszug aus »Joe Castle und der Beanball«, von Paul Tracey, Sohn von Warren Tracey)

19

Auf dem Flughafen von Atlanta muss ich etwas Zeit totschlagen, daher rufe ich Clarence Rook an. Es sind etwas mehr als vierundzwanzig Stunden vergangen, seit ich mich von ihm verabschiedete, aber mir kommt es wie ein ganzer Monat vor. »Sie werden nie erraten, wer mich gestern Abend angerufen hat«, sagt er.

»Charlie oder Red?«

»Charlie. Er sagte, er habe einen Anruf von Joe bekommen, der ihm erzählt habe, dass ich mit einem Fremden zusammen auf dem Feld aufgetaucht sei, und er wolle sich nur mal vergewissern, ob alles in Ordnung sei. Das sagt Charlie immer: ›Alles in Ordnung, Clarence?‹ Sicher, meinte ich, alles in Ordnung, nur mein Neffe aus Texas, der sich das Feld ansehen wollte.«

»Warum haben Sie ihm nicht die Wahrheit gesagt?«, frage ich.

»Hab ich ja, später. Ich habe erst mal darüber nachgedacht und mit Fay gesprochen, und dann habe ich Charlie zurückgerufen und gesagt, ich hätte etwas Wichtiges mit ihm und Red zu besprechen und ob wir das nicht bei einer Tasse Kaffee tun könnten. Heute Morgen haben wir uns in einem ruhigen Café nördlich der Stadt getroffen. Ich habe den beiden alles über Sie erzählt, Ihren Besuch und so weiter.« Er redet nicht weiter, was kein gutes Zeichen ist.

»Lassen Sie mich raten. Die beiden haben nicht vor Kummer geweint, als sie erfahren haben, dass Warren Tracey an Krebs sterben wird.«

»Nein, haben sie nicht.«

Wieder entsteht eine Pause. Noch ein schlechtes Zeichen. »Und die Idee, dass er nach Calico Rock kommt, um sich mit Joe zu treffen? Was halten sie davon?«

»Sie waren nicht gerade begeistert, jedenfalls nicht gleich am Anfang. Genau genommen gefiel ihnen nicht, dass *Sie* dabei sein werden.«

»Werden sie mich erschießen, wenn ich wiederkomme?«

»Nein. Mit der Zeit konnten sie sich für die Idee erwärmen, und sie haben sogar versprochen, mit Joe zu reden und herauszufinden, was er davon hält. Ich habe ihnen gut zugeredet, aber eigentlich geht es mich ja gar nichts an. Wie lief das Gespräch mit Ihrem Vater?«

Ich beschließe, es mit der Wahrheit nicht allzu genau zu nehmen. »Ich glaube, der Anfang ist gemacht. Wir haben sehr offen miteinander geredet, eine Menge alter Familiengeschichten, nichts, was Sie hören wollen. Das Problem ist, er will einfach nicht wahrhaben, dass er Krebs hat, und ich werde ihn erst überreden können, wenn er akzeptiert, dass er stirbt.«

»Der arme Kerl.«

»Mag sein, aber ich konnte einfach nicht so viel Mitgefühl aufbringen, dass er mir leidgetan hat.«

Ich erkundige mich nach Fay, und dann geht uns allmählich der Gesprächsstoff aus. Eine Stunde später steige ich in das Flugzeug nach Dallas.

Sara und die Mädchen warten schon auf mich, und wir setzen uns zu einem späten Abendessen an den Tisch. Die Mädchen haben keine Ahnung, wo ich gewesen bin oder was ich gemacht habe, daher reden wir über das Wochenende, an dem wir einen Campingausflug in die Berge machen wollen. Aber Sara ist neugierig. Als die Mädchen aus dem Zimmer sind und wir den Tisch abräumen, erzähle ich ihr alles.

»Und jetzt?«, fragt sie.

»Ich habe keine Ahnung. Vielleicht sollte ich ein paar Wochen warten und Warren dann anrufen, nach seiner Chemo fragen, vielleicht noch mal auf Joe zu sprechen kommen.«

»Wie war das mit deinem Lieblingsspruch? Nicht mal den halben Weg …«

»Nicht mal den halben Weg zur ersten Base geschafft. Genau, das beschreibt meinen Besuch bei Warren sehr gut. Er ist immer noch ein harter Hund,

und wahrscheinlich nimmt er das Ganze mit ins Grab.«

»Bist du froh, dass du gefahren bist?«

»Und wie. Ich habe Joe Castle gesehen, und ich glaube, es geht ihm so gut wie unter diesen Umständen möglich. Ich habe mich mit Warren getroffen, was jetzt nicht viel bedeutet, aber eines Tages vielleicht doch wichtig sein könnte. Und – das Wichtigste – ich habe ein Glas Ozark Pfirsichbrandy getrunken.«

»Was ist das?«

»Schwarzgebrannter Schnaps.«

»Gibt's das dort zum Essen?«

»Nein, nur nach dem Essen, zumindest bei den Rooks. Clarence sagt ›Digestif‹ dazu.«

»Wie schmeckt das Zeug?«

»Wie flüssiges Feuer.«

»Klingt lecker. Und gab es sonst noch etwas Aufregendes?«

»Eigentlich nicht.«

»Willst du Jill gleich anrufen?«

»Heute Abend nicht mehr. Später vielleicht. Ich glaube nicht, dass sie etwas über Warren hören will.«

Eine Woche später verlasse ich in der Mittagspause das Büro und fahre zu einer städtischen Baseballanlage, auf der die meisten meiner Freunde ihre Söhne in den verschiedenen Jugendligen trainiert haben. Bis auf einige Platzwarte sind die Felder leer. Die Saison ist vorbei. Ich steige auf die Tribüne des

»großen Feldes«, eines regelkonformen Diamond mit einer Begrenzung hinter dem Center Field, die etwa einhundertzwanzig Meter von mir entfernt ist. Dann setze ich mich in den Schatten der Pressebox und esse einen Hühnchen-Wrap.

Wir haben den 24. August 2003. Vor dreißig Jahren habe ich mit meiner Mutter im Shea Stadium gesessen und zugesehen, wie mein Held Joe Castle an die Plate trat, um das Duell mit meinem Vater zu beginnen. Langsam entstehen die Bilder in meinem Kopf, und ich höre wieder das Geräusch, als Joe getroffen wird. Das Entsetzen, das Chaos, die Angst, den Rettungswagen, dann die Schlägerei und alles, was danach kam. Sein Schädel war an drei Stellen eingeschlagen. Sein Wangenknochen war gebrochen. Blut strömte aus seinen Ohren, und zuerst hielten die Ärzte ihn für tot.

Jetzt scheint das alles so weit weg zu sein. Der Beanball war das Ende zweier Karrieren, und ich bin mir nicht sicher, was er mit mir gemacht hat. Er hat Millionen Fans das Herz gebrochen, daher war ich nicht der Einzige, der gelitten hat. Aber mit Ausnahme meiner Eltern war ich der Einzige, der wusste, dass Joe am Kopf getroffen werden würde.

Ich frage mich, ob Joe an diesen Jahrestag denkt. Tut er, was ich gerade tue – allein auf einem Baseballfeld sitzen, an die Tragödie denken und sich nach dem sehnen, was hätte sein können? Blickt er in Bitterkeit zurück auf das, was passiert ist? Ich würde das mit Sicherheit tun. Dreißig Jahre später, und mir kommen immer noch die Tränen, wenn ich an diese unnötige Verletzung und das Ende einer großartigen Karriere denke.

Warren Tracey bedeutet dieses Datum wohl nichts. Er steht vermutlich gerade auf dem Golfplatz. Er hat mit dem Beanball schon vor Jahrzehnten abgeschlossen. »Das ist Sport. Solche Sachen passieren eben.«

Als ich den Wrap gegessen habe, sitze ich einfach nur da und überlege, wie ich mit dem Beanball und Joe Castle abschließen kann. Schließlich gebe ich zu, dass es mir vermutlich nie gelingen wird.

Zwei Wochen vergehen. Die Mädchen sind wieder in der Schule, und ich habe viel zu tun. Unser normales, glückliches Leben geht weiter, und langsam vergesse ich die Idee, ein Treffen in Calico Rock zu arrangieren. Eines Abends klingelt das Telefon, und Rebecca, die jetzt zehn ist, nimmt den Hörer ab. Dann kommt sie ins Wohnzimmer gelaufen. »Dad, da ist ein Mann am Telefon, der Warren heißt. Er möchte mit dir reden«, sagt sie.

Sara und ich sehen uns an. Keiner von uns beiden kann sich daran erinnern, wann Warren das letzte Mal bei uns angerufen hat.

»Wer ist Warren?«, fragt Rebecca.

»Dein Großvater«, erwidert Sara, als ich in die Küche gehe.

Soweit ich sagen kann, gibt es keinen besonderen Anlass für den Anruf. Seine Stimme klingt heiser und schwach, und er teilt mir mit, dass die Chemotherapie alles andere als angenehm sei. Er habe keinen Appetit, daher nehme er stark ab, und er verliere seine Haare. Agnes fahre ihn zweimal in der Woche ins Krankenhaus für die Infusionen, die jedes Mal zwei Stunden dauerten, in einem tristen Raum zusammen mit einem Dutzend anderen Patienten mit Kanülen in den Venen.

Als er fragt, wie es meiner Familie gehe, trifft mich fast der Schlag. Sara, die eben durch die Küche läuft, sieht mich überrascht an, weil ich über unsere Kinder rede. Warren erzählt, dass er vor ein paar Stunden Jill angerufen, aber niemand abgenommen habe.

Warren Tracey ruft seine Kinder an. Ich glaube, er stirbt.

20

Einmal in der Woche telefoniere ich mit Clarence Rook, doch unsere Gespräche werden immer kürzer. Es gibt nicht viel Neues in Calico Rock, und ich weiß nicht, wie er jeden Mittwoch seine Zeitung vollbekommt. Von Zeit zu Zeit rufe ich Warren an, allerdings nicht, weil ich mir Sorgen um seinen Gesundheitszustand mache, sondern eher, um ihn daran zu erinnern, dass ich etwas von ihm will. Über Joe Castle reden wir nicht.

In der zweiten Oktoberwoche bin ich gerade mitten in einer Besprechung mit meinem Chef und einigen Kollegen, als mein Mobiltelefon vibriert. In meiner Firma ist es kein Verbrechen, wenn man durch einen Anruf bei etwas Wichtigem unterbrochen wird. Ich gehe in den Korridor hinaus und sage Hallo zu Agnes. Warren liegt im Krankenhaus, innere Blutungen, zu niedriger Blutdruck, Ohnmachtsanfälle. Die Ärzte haben gerade eine Computertomografie gemacht und festgestellt, dass sich überall Metastasen gebildet haben – in der Leber, den Nieren, im Magen und auch im Gehirn. Er hat fast zwanzig Kilo abgenommen. Sie glaubt, Warren hat endlich akzeptiert, dass der Krebs ihn töten wird.

Was soll ich sagen? Ich kenne diese Frau nicht, und ihren Mann kenne ich kaum. Ich drücke etwas lahm meine Anteilnahme aus und verspreche, am nächsten Tag anzurufen. Was ich auch tue, doch mein Anruf wird direkt auf die Mailbox weitergeleitet. Drei Tage später, ich fahre gerade von der Arbeit nach Hause, ruft Warren auf meinem Mobiltelefon an. Er sagt, er sei wieder zu Hause, fühle sich viel besser, gehe jetzt zu anderen Ärzten, weil die alten Idioten seien, und habe eine reelle Chance, den Krebs zu besiegen. Am Anfang unseres kurzen Gesprächs klingt er wach, lebhaft, voller Energie, doch er schafft es nicht, die Fassade aufrechtzuerhalten. Seine Stimme wird immer leiser, seine Aussprache undeutlich. Ich sage, was ich in so einer Situation eben sagen kann, doch als ich das Gespräch eben beenden möchte, murmelt Warren: »Paul, hör mal, ich habe über diese Sache mit Arkansas nachgedacht.«

»Ach, ja?« Ich versuche, mir meine Aufregung nicht anmerken zu lassen.

»Ja. Die Idee gefällt mir. Ich weiß zwar nicht, ob mir die Ärzte eine Reise erlauben werden, aber wir sollten es versuchen.«

»Gut, Warren. Ich werde dann ein paar Anrufe machen.«

Das Schlimmste wird die lange Fahrt sein, nur ich und Warren im Auto, zusammen mit unserer Vergangenheit, über die wir nicht sprechen wollen.

Wir haben Flüge nach Little Rock gebucht, und ich komme zwei Stunden vor ihm an. Ich esse etwas zu Mittag, schlage die Zeit tot, arbeite ein bisschen auf meinem Laptop und suche mir dann eine Stelle, von der aus die ankommenden Passagiere gut zu sehen sind. Es ist ein kleiner Flughafen mit zahlreichen offenen Bereichen, Tageslicht und nicht allzu vielen Leuten.

Bei unserem letzten Telefongespräch sagte Warren, die Ärzte hätten ihm die Reise verboten, was ihn in seinem Entschluss nur noch bestärkt habe. Schließlich gab er zu, dass der Krebs nun sein Leben bestimme und dass er mit der Chemo aufgehört habe. »Ich glaube nicht, dass ich Weihnachten noch erleben werde«, sagte er, als würde ihm das Fest etwas bedeuten.

Weinachten. Als ich acht Jahre alt war, spielte er über Winter Baseball in Venezuela und war an Weihnachten nicht zu Hause. Jill und ich öffneten unsere Geschenke unter dem Weihnachtsbaum, und meine Mutter weinte sich die Augen aus. Ich frage mich, ob Warren sich an all das erinnert, woran ich mich erinnere.

Zusammen mit anderen Passagieren aus Atlanta kommt er mir entgegen. Er trägt eine Mütze, weil er keine Haare mehr hat, und seine Schritte sind langsam, aber zielstrebig. Er ist zu einem kleinen Mann mit einer mädchenhaften Taille und einer Trichterbrust zusammengeschrumpft. Er zieht einen kleinen Rollkoffer hinter sich her, und sein Blick sucht nach mir.

Fast hätte ich aus ökologischen Gründen einen Hybrid gemietet, aber dann fällt mir gerade noch ein, dass wir darin stundenlang Schulter an Schulter sitzen werden. Stattdessen sind wir jetzt in einem SUV mit so viel Platz wie möglich zwischen den beiden Vordersitzen. Bis Little Rock hinter uns liegt, sagen wir nicht viel.

Er ist in zwei Monaten um zehn Jahre gealtert, und ich verstehe, warum seine Ärzte gegen die Reise waren. Er nickt häufig ein und sagt lange gar nichts, und dann kommt plötzlich ein richtiger Türöffner: »Gott, bin ich froh, von Agnes weg zu sein.«

Ich muss lachen und denke daran, welch überraschende Wendung unser Gespräch jetzt nehmen kann. »Die Wievielte ist sie eigentlich – Nummer fünf oder sechs?«, frage ich.

Eine Pause, während er rechnet. »Agnes ist Nummer fünf. Karen war die Vierte. Florence die Dritte. Daisy die Zweite. Deine Mutter war die Erste.«

»Beeindruckend, dass du dich noch an den Line-up erinnern kannst.«

»Oh, einige Dinge vergisst man nie.«

»Welche war deine Lieblingsfrau?«

Er überlegt eine Weile. Wir sind auf einer zweispurigen Straße, die durch Farmland führt. »Ich habe keine Frau so geliebt wie deine Mutter. Aber wir haben zu jung geheiratet. Also, wenn es um Liebe geht: deine Mutter. Wenn es um Geld geht: Florence. Und beim Sex war Daisy einsame Spitze.«

»Tut mir leid, dass ich gefragt habe.«

»Daisy war Stripperin. Gott, was für ein Körper.«

»Du hast uns wegen einer Stripperin verlassen?«

»Wenn du sie auf der Bühne gesehen hättest, würdest du mir keinen Vorwurf machen.«

»Wie lange warst du mit ihr verheiratet?«

»Nicht lange. Ich weiß es nicht mehr. Und ich habe euch nicht wegen einer Stripperin verlassen. Die Ehe mit deiner Mutter war schon am Ende, als ich Daisy kennengelernt habe.«

»In einem Stripklub?«

»Aber natürlich. Wo lernt man eine Stripperin denn sonst kennen?«

»Ich weiß es nicht. Auf diesem Gebiet habe ich keine Erfahrung.«

»Schön für dich.«

»Warst du Mom jemals treu?«

»Nein«, erwidert er, ohne zu zögern.

»Warum nicht?«

»Ich weiß es nicht«, seufzt er. »Warum tun Männer das, was sie tun? Warum verlieren sie ein Vermögen am Spieltisch, warum bringen sie sich mit Alkohol um oder heiraten durchgeknallte Frauen? Ich weiß es nicht. Hast du mich in diese gottverlassene Gegend geschleppt, nur um mich zu fragen, warum ich hinter den Frauen her war?«

»Nein. Inzwischen ist es mir auch egal.«

»Wie geht es deiner Mutter?«

»Gut. Ich besuche sie ein paarmal im Jahr. Sie ist noch genauso schön wie früher.« Fast hätte ich hinzugefügt, dass sie erheblich besser aussieht als Agnes, aber dann lasse ich es.

»Weiß sie, dass ich krank bin?«

»Ja, ich habe es ihr im August gesagt, kurze Zeit nachdem ich es erfahren hatte.«

»Ich bezweifle, dass es ihr etwas ausmacht.«

»Sollte es ihr was ausmachen?«

Er holt tief Luft und nickt dann ein. Insgeheim bete ich darum, dass er jetzt ein langes, zwei Stunden dauerndes Nickerchen macht. Er hat starke Schmerzen, und wenn er wach ist, scheint es ihm schlechter zu gehen. In seiner Hemdtasche sind Schmerzmittel.

Wir haben uns kurz über seine Frauen unterhalten, ein Thema, das ich eigentlich vermeiden wollte. Als er wieder wach ist, liefere ich mit einer einfachen Frage das Thema für die Fortsetzung unseres Gesprächs: »Hast du jemals in Arkansas Baseball gespielt?«

»O ja, in der Texas League haben wir mehrmals im Jahr gegen die Arkansas Travelers gespielt. In einem schönen alten Stadion im Stadtzentrum von Little Rock. Viele Zuschauer.«

Die Tür ist aufgestoßen, und Warren erwacht zum Leben. Vergessene Spiele, alte Teamkameraden, sonderbare Begebenheiten, Anekdoten aus der Kabine, Verstöße gegen das Ausgehverbot, der Zwang, ständig unterwegs zu sein – wir bleiben viele Kilometer lang beim Minor-League-Baseball. Doch er wird schnell müde, und seine langen Monologe hören unvermittelt auf, wenn er einen Schluck Wasser braucht oder für eine Weile die Augen schließen muss. Er nickt wieder ein, alles ist ruhig, dann ist er wieder wach und erinnert sich an eine andere Geschichte.

In seiner langen, wechselhaften Karriere hat er in einem Dutzend Städten gelebt, unter denen es einige gibt, an die er seit Jahren nicht mehr gedacht hat. Jetzt fällt ihm alles wieder ein, eine Flut von Erinnerungen. Überrascht stelle ich fest, dass Warren ein guter Erzähler ist, mit einem Gespür für Pointen. Je mehr Geschichten er erzählt, desto besser erinnert er sich.

Warum kenne ich diese Geschichten nicht?

Über Joe Castle und den Zweck unserer Reise reden wir nicht. Ich habe keine Ahnung, was Warren sagen will, aber ich habe das Gefühl, dass er nicht schweigen wird.

Am Stadtrand von Mountain View, eine Stunde südlich von Calico Rock, sehe ich ein hübsches, sauberes Motel, vor dem ich anhalte. Ich zahle in bar für zwei Zimmer. Warren sagt, er habe keinen Hunger und müsse sich hinlegen. Ich hole mir einen Hamburger aus einem Fast-Food-Restaurant und nehme ihn mit auf das Zimmer.

21

Clarence erwartet uns vor dem Eingang des *Calico Rock Record*. Es ist ein schöner Morgen mit klarer, kühler Luft, ein völlig anderes Wetter als bei meinem letzten Besuch im August. Die Main Street erwacht zum Leben. Wie verabredet sind wir um neun Uhr da. Warren hat zehn Stunden geschlafen und sagt, es gehe ihm gut.

»Es tut mir leid, dass Sie so krank sind, Mr. Tracey«, sagt Clarence aufrichtig, nachdem sie sich die Hand gegeben haben.

»Danke. Und sagen Sie bitte Warren zu mir.«

»Gern. Möchten Sie einen Kaffee?«

Wir setzen uns für das morgendliche Kaffee-ritual in das sympathisch unaufgeräumte Büro von Clarence. Er bringt uns auf den neuesten Stand, was das letzte Gespräch mit dem Castle-Clan angeht. Sie haben einem Treffen immer noch nicht zugestimmt, es aber auch nicht abgelehnt. Clarence ist der Meinung, dass schon alles gut gehen wird, wenn wir einfach bei der Familie auftauchen. Ich wusste vor meinen Abflug aus Santa Fe, dass es vielleicht nicht zu einem Treffen kommen würde, und Warren wusste das vor seinem Abflug aus Florida auch, doch wir haben vereinbart, es trotzdem zu versuchen. Am Telefon sagte Warren, er werde sich besser fühlen, wenn er den Versuch unternommen habe, mit Joe zu sprechen, selbst wenn Joe sich nicht mit uns treffen wolle.

Wir fahren mit Clarence quer durch die Stadt zur Highschool. Joe sitzt wieder auf seinem roten Rasenmäher, fährt langsam und methodisch über das Outfield und mäht Gras, das gar nicht mehr wächst. Wir haben Oktober, und das Gras wird langsam braun. Beim Dugout an der dritten Base steigen wir auf die Tribüne und setzen uns. Im Dugout an der ersten Base sitzen zwei Männer mittleren Alters. »Red und Charlie«, sagt Clarence, als wir unsere Plätze einnehmen und es nichts anderes zu tun gibt, als Joe beim Grasmähen zuzusehen. Außer uns ist niemand da. Es ist fast zehn Uhr, und an der Highschool in einiger Entfernung ist Unterricht.

»Und das macht er jeden Tag?«, fragt Warren. Er sitzt links von mir, Clarence rechts.

»Fünfmal die Woche, wenn das Wetter gut ist«, erwidert Clarence. »März bis November.«

»Ein schönes Feld«, lobt Warren.

»Arkansas vergibt jedes Jahr einen Preis für das beste Baseballfeld an einer Highschool. Wir haben ihn so oft gewonnen, dass ich gar nicht mehr mitkomme. Vermutlich hilft es, wenn man einen Voll-zeitplatzwart hat.«

Nach ein paar weiteren präzisen Bahnen hebt Joe die Mähmesser an und fährt zum Dugout an der ersten Base. Er stellt den Motor ab, steigt vom Mäher und sagt etwas zu seinen Brüdern. Einer von ihnen verlässt den Dugout mit zwei Klappstühlen in der Hand und trägt sie zu einer Stelle direkt an der Home Plate. »Das ist Red«, sagt Clarence leise.

Red klappt die Stühle auf und stellt sie so hin, dass sie in Richtung des Wurfhügels stehen. Als sie so stehen, wie er das möchte, geht er einige Schritte in unsere Richtung und bleibt dann stehen. »Mr. Tracey«, sagt er.

»Ich glaube, er meint dich«, sage ich zu Warren, der aufsteht und langsam die Tribüne hinunter und aufs Feld geht. Er wird von Red in Empfang genommen, der ihm die Hand hinhält. »Red Castle. Freut mich, Sie kennenzulernen.«

Sie geben sich die Hand. »Danke, dass Sie das tun«, sagt Warren.

Joe schlurft auf die Stühle zu, den Stock vor sich auf den Boden gestützt, mit diesen kleinen, herzzerreißenden Trippelschritten. Der linke Arm und die linke Hand hängen schlaff herunter, den Stock hält er mit der rechten Hand. Als er bei den Stühlen ist, streckt er sie aus. Warren ergreift sie mit beiden Händen. »Schön, dich zu sehen, Joe«, sagt er.

Joe beginnt zu reden, in einem hohen, zögernden Stakkato, als wüsste er genau, welches Wort das nächste ist, hätte aber Mühe, es auszusprechen. »Danke ... fürs ... Kommen.« Sie setzen sich auf die Stühle an der Home Plate, und Red geht wieder in den Dugout an der ersten Base.

Die beiden sitzen einen Moment lang da, fast Schulter an Schulter, und starren auf den Wurfhügel. Was sie gerade denken, wissen nur sie selbst.

»Das ist ein schönes Feld, Joe.«

»Danke.«

Von unseren Plätzen aus können wir nicht hören, was sie sagen. Red und Charlie sitzen auf der Bank im Dugout und sind ebenfalls außer Hörweite.

»Ein weiter Weg vom Shea Stadium«, sagt Clarence leise.

»Tausend Meilen und tausend Jahre. Danke, dass Sie das getan haben.«

»Ich war es nicht. Sie haben es getan, Paul. Ich bin froh, dass ich dabei sein darf. Es ist der Traum jedes Reporters. Wie viele eingefleischte Fans in diesem Land würden wohl ihren rechten Arm hergeben, um jetzt unsere Sitze zu bekommen?«

Ich nicke. »Zwei Millionen allein in Chicago.«

»Das ... mit ... dem ... Krebs ... tut ... mir ... leid.«

»Danke, Joe. Ich habe eben Pech gehabt. Manchmal hat man Glück, manchmal nicht.«

Joe nickt. Mit Pech kennt er sich aus. Eine Minute vergeht, in der sie nur dasitzen und auf den Wurfhügel starren.

»Joe, ich glaube, wir sollten über Baseball reden. Deshalb bin ich hier.«

Joe nickt immer noch. »Okay.«

»Denkst du oft an diesen Abend im Shea Stadium, als wir uns das letzte Mal gesehen haben?«

»Nicht ... oft ... Ich ... erinnere ... mich ... nicht ... mehr ... an ... viel.«

»Darum beneide ich dich, denn ich kann mich noch viel zu gut daran erinnern. Es war ein Beanball, Joe, einer, den ich mit so viel Kraft geworfen habe, wie ich nur konnte. Ich wollte dich treffen, ich wollte dich umhauen, dich in deine Schranken weisen und diesen ganzen Mist. Es war Absicht, Joe, und ich bereue es seit damals. Es tut mir leid. Ich möchte mich bei dir entschuldigen. Es war so dumm von mir. Es war niederträchtig und gemein, und es hat eine Karriere ruiniert, die legendär geworden wäre. So, jetzt habe ich es gesagt. Es tut mir leid, Joe.«

Joe nickt und nickt. »Schon ... okay ... schon ... okay«, sagt er dann.

Warren ist in Fahrt gekommen und möchte alles loswerden. »Ich wollte dich treffen, aber ich hatte keine Ahnung, dass es so schlimm werden würde. Ich weiß, das klingt verrückt. Man wirft jemandem einen Baseball an den Kopf, mit der Absicht, ihn zu treffen, und dann sagt man, dass man ihn nicht verletzen wollte. Ich weiß, es ist dumm. Und ich war wahrscheinlich nicht nur dumm, sondern auch ein Idiot.«

»Schon ... okay ... schon ... okay.«

»Als ich den Ball losgelassen habe, wusste ich, wo er landen würde. Ich wusste, dass er dich oberhalb vom Hals treffen würde. Aber es war zu perfekt, und für einen Sekundenbruchteil hast du dich nicht bewegt. Als der Ball getroffen hat, habe ich gehört, wie deine Knochen brachen. An dem Abend haben viele Leute gehört, wie deine Knochen brachen. Es war grauenhaft. Ich wusste, dass du schwer verletzt warst. Und als sie dich auf die Trage gelegt haben, dachte ich, du wärst tot. Gott, es tut mir so leid, Joe.«

»Schon ... okay ... Warren.«

Während die beiden vor sich hin starren, entsteht eine lange Pause in ihrem Gespräch.

»Erinnerst du dich noch an deinen ersten At Bat an dem Abend, an den Home Run?«

»Ich ... kann ... mich ... an ... jeden ... Home ... Run ... erinnern.«

Warren lächelt. Jeder Hitter konnte sich an seine Home Runs erinnern. »Einmal hast du acht Pitches nacheinander aus dem Feld geschlagen. Ich hatte noch nie so einen schnellen Schläger gesehen. Ich habe Fastballs, Sliders, Curves, Changeups und sogar einen Cutter geworfen, und du hast bis zum letzten Sekundenbruchteil gewartet und die Bälle einfach so aus dem Feld geschlagen. Der Home Run, den du geschlagen hast, war zehn Zentimeter außerhalb. Ich hatte dich reingelegt, aber du hast dich sofort wieder gefangen und den Ball fast einhundertzwanzig Meter weit geschlagen. In dem Moment habe ich beschlossen, dich zu treffen. Ich dachte, wenn ich ihn nicht out machen kann, haue ich ihn eben um. Ich jage ihm einen kleinen Schreck ein. Der Junge ist doch nur ein Rookie.«

»Das ... gehört ... zum ... Spiel.«

»Vielleicht. Es gibt eine Menge Spieler, die am Kopf getroffen wurden, aber nicht viele, die dabei verletzt wurden. 1920 wurde Ray Chapman von einem Pitch getötet. Mickey Cochrane hat nie wieder gespielt, nachdem er einen Ball an den Kopf bekommen hatte. Tony Conigliaro war ein sicherer Kandidat für die Hall of Fame, bevor er von einem Beanball am Auge getroffen wurde. Hast du gewusst, dass ich ihn auch einmal getroffen habe?«

»Tony C.?«

»Genau den. 1965 habe ich für Cleveland gepitcht. Tony stand zu nah an der Plate, und er hatte vor nichts Angst. Ich habe ihn an der Schulter getroffen und es nie bereut. Manchmal muss man einen Batter eben treffen, und das weißt du auch. Aber man darf nicht versuchen, jemanden zu verletzen. Es gehört nicht zum Spiel, auf den Kopf eines Spielers zu werfen. Er hat eine Familie, eine Karriere. Das war mein Fehler.«

»Du ... hast ... eine ... Menge ... Spieler ... getroffen.«

Warren holt tief Luft und rutscht auf dem Stuhl herum. Vor einer Stunde hat er ein Schmerzmittel genommen, dessen Wirkung jetzt nachlässt. »Stimmt, und ich bereue eine Menge. Wenn ich gestorben bin, wird man kein Wort darüber verlieren, was für ein lausiger Ehemann und Vater ich gewesen bin. Und über meine mittelmäßige Baseballkarriere werden die Zeitungen auch nicht viel schreiben. Nein. Sie werden nur über diesen einen Pitch schreiben. Ich habe eine Million Pitches geworfen, aber alle werden über den Beanball reden, der Joe Castle getroffen hat. Über den Pitch, den ich immer bereuen werde.«

»Ich ... auch.«

Das finden beide lustig. Sie lachen leise.

»Joe, du hast allen Grund, mich zu hassen. Ich habe dir so viel genommen. Von einem Moment auf den anderen war deine Karriere vorbei, und ich war schuld daran. Jetzt, so kurz vor dem Ende, wäre es schön, wenn ich wüsste, dass du mich nicht hasst. Verlange ich zu viel?«

»Ich ... hasse ... niemanden.«

»Nicht einmal mich? Komm schon, Joe, du hast mir doch sicher die Pest an den Hals gewünscht.«

»Ja ... schon ... aber ... jetzt ... nicht ... mehr ... Du ... hast ... gesagt ... es ... war ... ein ... Unfall ... und ... ich ... wollte ... dir ... glauben.«

»Aber ich habe gelogen, Joe. Es war kein Unfall. Ich habe dreißig Jahre lang gelogen. Jetzt sage ich dir die Wahrheit. Und du hasst mich immer noch nicht?«

»Nein ... Du ... hast ... dich ... entschuldigt ... Ich ... nehme ... die ... Entschuldigung ... an.«

Warren legt Joe die rechte Hand auf die Schulter. »Danke, Joe. Du bist ein besserer Mensch als ich.«

»Und ... mein ... Schlagdurchschnitt ... ist ... auch ... besser ... als ... deiner.«

Warren lacht laut, und Joe stimmt mit ein.

Wir beobachten die beiden und freuen uns, dass sie lachen können. Ich habe immer gewusst, dass Warren Tracey keinen Funken Humor hat, daher muss Joe gerade etwas Lustiges gesagt haben.

»Ich glaube, sie verstehen sich ganz gut«, meint Clarence.

»Das müssen sie wohl auch. Falls es zu einer Schlägerei kommt, hat Warren niemanden in seiner Ecke.«

»Sie wollen sich nicht prügeln. Charlie hat mir gestern erzählt, sie würden Ihren Vater dafür bewundern, dass er mit Joe sprechen will.«

»Warum haben sie dann gezögert?«

»Aus zwei Gründen. Sie hatten Angst, dass Joe sich zu sehr aufregt, dass böse Erinnerungen wach werden. Und sie hatten Angst, dass etwas über dieses kleine Treffen durchsickert und es dann irgendwo in der Zeitung steht. Ich habe ihnen versichert, dass das nicht passieren wird. Stimmt doch, oder?«

»Natürlich.«

»Mit was haben Sie eigentlich Ihren Vater erpresst, um ihn zum Kommen zu bewegen?«

»Das mit der Erpressung hat nicht funktioniert. Warren ist hier, weil er es so will. Er ist ein harter Hund, und erst sein nahender Tod hat ihn milde gestimmt. Jetzt, wo er auf sein verpfuschtes Leben zurückblickt, bedauert er vieles.«

»Es ist schlimm, so zu sterben.«

»Ja, das ist es.«

Joe sieht zum Dugout an der ersten Base hinüber. »Charlie ... Red«, sagt er. Seine Brüder stehen auf und verlassen den Dugout.

Warren erhebt sich, sieht zu uns her und winkt uns zu sich.

Wir treffen uns vor der Home Plate, und ich gebe Joe Castle die Hand. Er trägt eine Mütze und eine große schwarze Sonnenbrille, die sein zerstörtes Auge verdeckt. Seine Haare sind fast grau, und er hat keinerlei Ähnlichkeit mehr mit dem lächelnden Jungen, der vor dreißig Jahren auf den Titelseiten der Magazine abgebildet war. Aber wer sieht nach dreißig Jahren noch genauso aus wie in seiner Jugend?

Charlie und Red sind nett, möchten aber lieber Beobachter bleiben.

Auf meine Bitte hin hat Clarence eine Kamera mitgebracht, und ich erkläre den Castles, dass ich gern ein paar Fotos von dem Treffen machen möchte. »Werden sie veröffentlicht werden?«, fragt Red.

»Nur wenn Sie mir die Genehmigung dafür geben«, antworte ich. Er und Charlie sind misstrauisch, stimmen aber zu.

Zu meiner Überraschung hat Clarence noch etwas mitgebracht. Aus einer kleinen Plastiktüte, die in seiner Manteltasche war, zieht er zwei Baseballmützen heraus – Cubs und Mets. Er gibt sie Joe und Warren. »Ich dachte, es wäre eine nette Geste, euch damit zu fotografieren.«

Joe sieht seine Mütze stirnrunzelnd an, und Warren reagiert genauso. Sie zögern, als würden die

Mützen zu viele Erinnerungen zurückbringen. »War nur so ein Gedanke«, sagt Clarence und macht einen Schritt zurück, als hätte er das ganze Treffen ruiniert. Dann knickt Joe den Schild seiner Mütze, nimmt die mit der Reklame eines Futtermittelgeschäfts ab und setzt die Cubs-Mütze auf. Wie alle Baseballspieler zieht und schiebt er eine Weile, bis es sich richtig anfühlt. Als Warren seine Golfmütze abnimmt, sieht man seinen Kopf, der so glatt ist wie eine Zwiebel, ohne ein einziges Haar, und für den Bruchteil einer Sekunde starren wir entsetzt auf die Folgen der Chemotherapie. Es erinnert uns daran, dass ihm nicht mehr lange bleibt.

Als die Mützen sitzen, treten wir einen Schritt zurück, und Clarence beginnt zu fotografieren. Die beiden Spieler stehen da und lächeln, Joe auf seinen Stock gestützt. Clarence hat eine Idee. Er schlägt vor, dass wir zum Right Center gehen und die Anzeige-tafel mit der Aufschrift JOE CASTLE FIELD als Hin-tergrund verwenden. Das tun wir dann auch, und nachdem Clarence einige Dutzend Fotos von Joe und Warren aufgenommen hat, stelle ich mich zwischen meinen Vater und meinen Helden von damals, und wir lächeln alle.

Das Foto ist der letzte Eintrag in meinem Scrap-book über Joe Castle.

Plötzlich gibt es nichts mehr zu tun. Die beiden haben sich getroffen, gesagt, was zu sagen war, und sich fotografieren lassen. Wir verabschieden uns und verlassen das Feld.

Als wir zur Main Street zurückfahren, sagt Clarence, dass Fay uns gern zu einem frühen Mittagessen auf der Veranda einladen würde. Ich werfe einen Blick auf Warren, der hinten sitzt. Er schüttelt den Kopf. Ich möchte Fay und Clarence nicht beleidigen. »Danke für die Einladung, aber wir müssen los. Warrens Flug geht um sechzehn Uhr«, sage ich deshalb. Ich habe kein schlechtes Gewissen, weil ich genug von Calico Rock habe. Und als gute Gastgeber würden die Rooks sicher darauf bestehen, dass wir den gesamten Nachmittag mit Geschichtenerzählen auf der Veranda verbringen und noch mehr Fotos machen. Und erst die Lemon Gins …

»Kein Problem«, erwidert Clarence. Er parkt den Wagen, und wir verabschieden uns an der hinteren Stoßstange des Buick. Ich bedanke mich noch einmal, und er wünscht Warren alles Gute. Ich verspreche, mich zu melden, wenn es etwas Neues gibt.

Kurz hinter Calico Rock bittet mich Warren, der die ganze Zeit über kein Wort gesagt hat, rechts ranzufahren. Er legt sich auf den Rücksitz und schläft sofort ein. Die Reise und die Begegnung mit Joe haben ihn erschöpft, und jetzt kann er nicht mehr.

Er trägt immer noch die Mets-Mütze.

22

Das Radarbild zeigt von Santa Fe bis weit in den Osten nach Little Rock und hinunter nach Florida schönes Wetter. Trotzdem sind beide Flüge verspätet. Warren ist völlig erschöpft, und ich will ihn ins Flugzeug zurück zu Agnes setzen, bevor es einen Notfall gibt, was ich nicht gebrauchen kann. Aufgrund der vielen Verspätungen ist der kleine Flughafen von Little Rock völlig überfüllt, und wir verbringen die nächsten Stunden mit den profanen Dingen, die man tut, wenn man auf den Abflug seiner Maschine wartet.

Am Nachmittag, als Warren wach und zum Reden aufgelegt war, haben wir über unverfängliche Themen gesprochen. Er hat kein Wort über Joe verloren. Obwohl ich nicht so viel Zeit mit ihm verbracht habe, um einschätzen zu können, wie er sich fühlt oder was er denkt, ist klar, dass ihm vieles durch den Kopf geht. Ich bin sicher, dass das Thema Tod an erster Stelle steht, wie für jeden anderen in seinem Zustand. Und dass er vieles bereut. Aber darüber will keiner von uns reden. Warren kann nicht kurz vor Torschluss mit ein paar Entschuldigungen ankommen, was uns beiden klar ist. Ich bin nicht sicher, ob er es überhaupt versuchen will, aber ich weiß, dass ich nichts dergleichen hören möchte.

Sein Appetit kommt und geht, und als er sagt, er habe Hunger, suchen wir uns einen kleinen Tisch in der überfüllten Lounge. Die Kellnerin fragt, ob wir etwas trinken möchten, und Warren erwidert lächelnd: »Ich hätte gern ein großes Bier vom Fass.« Ich bestelle das Gleiche. »Ich bin seit zehn Jahren trocken«, sagt er, als die Kellnerin gegangen ist. »Ich habe nur noch zwei Monate zu leben. Warum nicht?«

»Warum nicht?«

»Abstinenz wird überschätzt«, meint er mit einem Grinsen. »Ich war viel glücklicher, als ich noch getrunken habe.«

Ich kann darüber nicht lachen, weil ich daran denken muss, dass er dann meine Mutter geschlagen hat, wenn er betrunken war. »Was soll ich dazu sagen?«

In der Bar sind drei große Fernseher, die alle auf die World Series geschaltet sind, Yankees gegen Marlins. Das Bier kommt, wir stoßen an, prosten uns zu und trinken. Warren schluckt, als wäre er kurz vorm Verdursten. Dann schmatzt er mit den Lippen. »Oh, wie habe ich das vermisst.«

Wir bestellen Sandwiches und sehen uns das Spiel an. Es dauert nicht lange, bis er sein Missfallen äußert. »Sieh dir die Spieler an«, knurrt er. »Sieh dir an, wie fett sie sind, vor allem die Pitcher.« Eine Minute später: »Sieh dir den Kerl da an, in der World Series, verdient Millionen im Jahr und ist so langsam, dass er nicht mal an einen Pop Fly rankommt.«

Wieder einmal fällt mir auf, wie absurd das, was ich gerade tue, doch ist. Ich trinke ein Bier mit meinem Vater und sehe mir mit ihm zusammen ein Baseballspiel an – zum ersten Mal in meinem Leben! Und das nur, weil er stirbt.

Die Sandwiches werden serviert, und wir richten unsere Aufmerksamkeit auf das Essen. Warren hat ein paar abfällige Bemerkungen über »diese modernen Spieler« gemacht, was darauf schließen lässt, dass er kein großer Fan von ihnen ist.

»Und? Schreibst du noch eine Geschichte? Über unsere kleine Reise?«, fragt er, als er in sein Club Sandwich beißt.

»Nein, das ist nicht geplant.«

»Du solltest aber. Ich finde, du solltest die erste Geschichte nehmen, ein zweites Kapitel hinzufügen und das Ganze drucken lassen. Und tu es jetzt, vor meinem Tod. Es macht mir nichts aus. Du willst, dass die Öffentlichkeit die Wahrheit erfährt. Ich auch. Veröffentliche die Geschichte.«

»Das haben wir nicht vereinbart.«

»Ist doch egal, was wir vereinbart haben. Ich würde es gut finden, wenn die Leute wüssten, dass ich zu Joe Castle gegangen bin und mich nach all den Jahren entschuldigt habe. Das habe ich in meinem Leben nicht oft getan.«

»Da bin ich mir sicher.«

»Lass es drucken. Es ist mir egal.«

»Ohne die Einwilligung der Castles kann ich das nicht tun. Du hast gesehen, wie sehr sie Joe abschirmen.«

»Dann hol dir ihre Einwilligung. Schreib die Geschichte, zeig sie ihnen, und ich wette, du kannst sie überzeugen.«

»Ich werde mit ihnen reden.« Die Idee gefällt mir. Wir bestellen noch eine Runde Bier und essen unsere Sandwiches auf. »Die Mets sind doch ätzend«, sagt ein Mann, der an unserem Tisch vorbeigeht. Als uns klar wird, dass es an Warrens Mütze liegt, lachen wir.

Eine Verspätung führt zur nächsten, und schließlich ist es fast einundzwanzig Uhr, als Warrens Flug aufgerufen wird. Sein Flugsteig ist ganz in der Nähe von meinem, und wir laufen langsam den Korridor entlang. Als wir das Gate erreicht haben, gehen die Passagiere bereits an Bord.

Er holt tief Luft und sieht mich an. »Danke, dass du das getan hast. Es bedeutet mir sehr viel, und Joe hat es auch viel bedeutet. Jetzt ist eine schwere Last verschwunden.«

»Das nennt man wohl die heilende Kraft der Vergebung.«

»Da spricht schon wieder der Klugscheißer.«

»Wahrscheinlich.«

»Nein, im Ernst, Paul, du bist viel klüger als ich, weil du ein Leben lebst, in dem du nur wenig bereust. Wenn ich sterbe, nehme ich eine lange Liste mit, auf der lauter Dinge stehen, die ich gerne anders gemacht hätte. Es ist nicht schön, so gehen zu müssen.«

»Jetzt kannst du das nicht mehr in Ordnung bringen.«

Wir geben uns die Hand. »Du hast recht. Aber ich bereue so vieles, Paul.«

Darauf habe ich keine Antwort. Ein banales »Oh, schon okay, Warren, alles vergessen und vergeben« will mir nicht über die Lippen kommen. Wir geben uns noch einmal die Hand, und es ist klar, dass er eine schnelle Umarmung erwartet. Aber ich will nicht.

Warren dreht sich um und geht. Er blickt nicht zurück.

23

Agnes ruft alle zwei Tage an und berichtet, wie sich sein Zustand verschlechtert. Er isst nichts mehr, seine Organe versagen allmählich, er ist im Krankenhaus, er ist wieder zu Hause, er ist in ein Hospiz verlegt worden. Warren benimmt sich wieder wie der alte Warren – er ruft nicht selbst an, er will nicht reden. Sara fragt mehrfach, ob ich ihn nicht besuchen möchte.

Nein. Ich habe ihn schon besucht.

Jill und ich telefonieren manchmal miteinander. Das ist typisch für die Familie Tracey – Warren redet mit Agnes, die dann mich anruft, und ich wiederum rufe dann meine Schwester an. Jill möchte nicht mit ihm reden, sie möchte ihn nicht sehen, und sie möchte auch nicht zu seiner Beerdigung gehen, wenn er tot ist.

Er wird immer schwächer, und die Anrufe von Agnes gleichen sich in ihrer Monotonie. Ich werfe einen Blick auf den Kalender. Bald ist Thanksgiving, und ich hoffe, Warren bringt unsere Planung nicht durcheinander.

Das tut er nicht. Er stirbt am 10. November, mit fünfundsechzig Jahren, allein in einem Hospiz. Agnes teilt mir mit, dass die Trauerfeier für den Freitag der folgenden Woche geplant ist. Sara und ich streiten uns lange und ziemlich heftig darüber, ob sie mich zur Trauerfeier begleiten soll oder nicht. Ich bestehe darauf, dass sie nicht mitkommt, während sie sich aus irgendeinem merkwürdigen Grund verpflichtet fühlt, einem Mann die letzte Ehre zu erweisen, den sie kaum gekannt hat; einem Mann, der nicht zu unserer Hochzeit gekommen ist und uns nicht zur Geburt unserer drei Töchter gratuliert hat. Es gibt keine Familie, zu der wir uns setzen könnten. Und es wird sicher auch kein Treffen nach der Trauerfeier geben.

Sara hat dort nichts verloren. Außerdem möchte ich nicht weitere fünfhundert Dollar für ein Flugticket aus dem Fenster werfen. Schließlich erklärt sie sich widerwillig einverstanden.

In Florida sterben eine Menge Leute, und viele von ihnen sind Rentner, die in ihrer jeweiligen Gemeinde nicht sehr verwurzelt sind. Daher wird die Sache mit der Beerdigung rasch und durchorganisiert über die Bühne gebracht. Die Trauerfeiern sind in der Regel klein, kurz, ja sogar unpersönlich.

Warren wollte eingeäschert werden, und seinem Wunsch wurde entsprochen. Die Trauerfeier findet in der fensterlosen Kapelle des Mausoleums ganz in der Nähe seines Hauses statt. Mein Timing ist perfekt, ich komme – allein – fünfzehn Minuten vorher an. Agnes sitzt in dem Raum, der für die Familie des Verblichenen reserviert ist. An Familie ist nicht viel vorhanden. Agnes und ihre Tochter Lydia, die ich noch nie gesehen habe, und ich. Man sollte doch meinen, dass ein Mann, der fünfmal verheiratet war, etwas mehr Interesse erzeugen würde.

Wir sitzen und reden, und die Zeit gerät ins Stocken. Agnes fragt mich noch einmal, ob ich eine Trauerrede halten oder ein paar Worte sagen möchte. Ich lehne erneut höflich ab und entschuldige mich damit, dass ich befürchte, meine Gefühle nicht unter Kontrolle zu haben, und mich nicht in eine peinliche Lage bringen will. Abgesehen von Gefühlen wären sämtliche anrührenden Worte oder Geschichten, die ich zu diesem Zeitpunkt anzubieten hätte, komplett erlogen.

Lydia, die mich mit Argwohn betrachtet, kommt schließlich zur Sache. »Paul, wir haben sein Testament schon gelesen.«

Ich hebe abwehrend die Hände. »Es ist mir egal, was drinsteht. Ich will nichts haben. Ich werde nichts annehmen. Falls ich erwähnt werde, weigere ich mich, etwas anzunehmen«, sage ich.

»Er hat dir und Jill jeweils zehntausend Dollar vermacht«, wirft Agnes ein.

Die Beute vor der Beerdigung teilen erscheint mir geschmacklos, aber ich sehe darüber hinweg. »Ich kann natürlich nicht für Jill sprechen«, informiere ich die beiden, »aber ich will das Geld nicht. Er hat mir keinen Cent gegeben, als ich in der Highschool oder auf dem College war oder mal etwas extra gebraucht habe, und jetzt will ich sein Geld nicht mehr.«

»Darum werden sich dann wohl die Anwälte kümmern müssen«, sagt Lydia, und ich habe den Eindruck, dass sie mit Anwälten einige Erfahrung hat.

»Ja, vermutlich.«

»Außerdem hat er fünfundzwanzigtausend Dollar einem Baseballfeld in Calico Rock, Arkansas, vermacht«, bemerkt Agnes.

Jetzt muss ich doch lächeln. »Das ist schön.« Gut für Warren.

Ich werde nicht fragen, wie groß der Nachlass ist – es ist kein guter Zeitpunkt dafür, und eigentlich ist es mir auch egal. Beim Nachlassverfahren werde ich es sowieso erfahren.

Wir gehen nach nebenan in die Kapelle. Vor der ersten Bank warten etwa zwanzig Senioren, die miteinander flüstern und augenscheinlich bester Stimmung sind. Dresscode ist die in Florida übliche Freizeitkleidung für Senioren – Sandalen und keine Jacketts oder Krawatten. Ich stelle mich diesen Leuten nicht vor. Ich werde sie nie wiedersehen, und ich will jetzt auf keinen Fall Anekdoten austauschen und darüber reden, wie großartig mein alter Herr doch war. Ich gehe davon aus, dass es Nachbarn, Golfpartner oder Freunde von Agnes sind und dass keiner der Männer Profibaseballspieler war und in einem Team mit Warren Tracey gespielt hat. Und ich weiß ganz genau, dass keine Spieler der Mets-Mannschaft von 1973 anwesend sind.

Die Kapelle hat dunkle Steinmauern und fühlt sich an wie ein Kerker. Über Lautsprecher wird ein angemessen traurig klingendes Kirchenlied einge-spielt. Ein Mann in einem Anzug bittet uns, Platz zu nehmen. Gott sei Dank gibt es keine reservierten Plätze für die Familie. Ich verziehe mich nach hin-ten. Agnes hat noch keine einzige Träne vergossen, und ich vermute, sie wird nicht die Einzige sein, die es ohne Taschentuch durch die Trauerfeier schafft. Freunde und Familie sitzen da und warten, während die Stimmungsmusik ihre Wirkung tun soll.

Ich weiß nicht, warum ich hier bin. Warren ist tot, und wenn er jetzt zusehen könnte, würde er sich einen Dreck darum scheren, ob ich dabei bin oder nicht. Das Konzept, jemandem die letzte Ehre zu er-weisen, ist einfach lächerlich. Dem Verstorbenen ist es egal. Er liegt im Sarg oder, wie in Warrens Fall, in einer kleinen blauen Urne neben dem Podium.

Was hat Yogi Berra einmal gesagt? »Geh immer auf die Beerdigung anderer, sonst kommen sie nicht zu deiner.«

Ein Mann in einem schwarzen Talar kommt her-ein, vermutlich einer vom Priester-Schnelldienst, da Warren Tracey nie einer Kirche angehört hat. Vielleicht ist Agnes gläubig. Der Priester unterhält sich kurz mit ihr, tröstet sie und steigt dann auf ein kleines Podium, wo er wie Charlton Heston am Roten Meer die Hände ausbreitet und sagt: »Willkommen.«

Leise öffnet sich die Tür hinter mir, was meine Aufmerksamkeit erregt. Drei Männer betreten die Kapelle – Red Castle, dann Joe mit seinem Stock, gefolgt von Charlie. Sie setzen sich lautlos in die letzte Bank. Alle drei tragen marineblaue Blazer und weiße Hemden und sind von allen Anwesenden mit Abstand am besten angezogen.

Zuerst bin ich schockiert, aber eigentlich überrascht es mich nicht. Was für eine schöne, noble Geste.

Ich stehe auf, gehe nach hinten und setze mich auf die Bank vor ihnen. »Danke, dass Sie gekommen sind«, flüstere ich Red zu. Alle drei nicken. »Was tun Sie in Florida?«

Charlie deutet auf Joe. »Joe wollte einen Ausflug mit dem Auto machen.«

»Willkommen«, sagt der Priester in unsere Richtung, dieses Mal etwas lauter. Mein Blick richtet sich auf ihn, und er sieht aus, als wollte er uns gleich auf die Finger schlagen, weil wir während seiner Predigt geredet haben. Ich bleibe, wo ich bin, bei den Castles, und wir erdulden gemeinsam ein bedeutungsloses Ritual, das auf dreißig quälenden Minuten ausgedehnt wird. Der Höhepunkt ist eine Trauerrede von Marv Irgendwem aus – natürlich – dem Golfklub. Marv erzählt eine slapstickartige Anekdote über eine Partie

Golf mit Warren. Warren fuhr das Golfwägelchen. Sein Ball war im Wasser. Er kam zu nah an den Rand des Teichs, das Wägelchen kippte um, Marv wäre fast ertrunken, doch Warren überstand das Ganze, ohne auch nur einen Tropfen Wasser abzubekommen.

Wir lachen, weil man das von uns erwartet. Marv ist kein großer Redner, und ich habe den Eindruck, dass er das kürzere Streichholz gezogen hat. Ich kann mir gut vorstellen, wie diese alten Gockel vor einem Grill sitzen, Gin Rommé spielen und darüber streiten, wer auf wessen Beerdigung spricht. »Okay, Marv, du machst Warren, ich mache deine, und Fred macht meine.«

Der Priester versteht sein Handwerk und füllt die noch vorhandenen Lücken. Er liest aus der Bibel, wobei er eine Präferenz für das Buch der Psalmen zu haben scheint. Er philosophiert über Gottes Liebe, Güte, Gnade, Seligkeit, und es wird deutlich, dass Agnes, was immer sie auch ist, weder Katholikin noch Jüdin noch Muslimin ist. Die Tatsache, dass Warren Profibaseballspieler war, erwähnt er zu keinem Zeitpunkt. Als wir uns dem Ende nähern, teilt er uns mit, dass Warren im Anschluss an die Trauerfeier bestattet werde, den Gang hinunter, Wand D im dritten Pavillon, im engsten Familienkreis.

Ich beschließe, die Bestattung auszulassen. Das Loch in der Wand, in dem Warrens Asche die Ewigkeit verbringen wird, will ich nicht sehen. Das soll Agnes übernehmen. Sie ist die Einzige, die vielleicht in den nächsten drei Monaten einmal im Monat vorbeikommen, seinen Namen auf der Steinplatte berühren und versuchen wird, ein bisschen Gefühl aufzubringen. Ich weiß, dass ich nicht mehr herkommen werde.

Außerdem will ich mit Joe reden.

24

Der Meditationsraum ist gerade leer, und wir nehmen ihn für ein paar Minuten in Beschlag. Er hat
noch mehr Ähnlichkeit mit einem Kerker als die Kapelle und sieht aus, als würde er nie benutzt werden.
Wir stellen vier Stühle im Kreis auf und setzen uns.

»Ich bin wirklich gerührt, dass Sie von so weit
hergefahren sind«, fange ich an.

»Joe ist seit dem Spring Training 1973 nicht mehr
in Florida gewesen«, erwidert Red. »Er wollte mal
raus aus der Stadt, also sind wir hergekommen.« Ich
rufe mir ins Gedächtnis, dass alle drei in den Minor
Leagues Baseball gespielt haben, und wie die meisten anderen potenziellen Kandidaten waren sie jedes
Frühjahr ins Trainingslager gefahren, genau wie die
alten Hasen. Als Spieler in verschiedenen Mannschaften waren sie oft wochenlang im Bus unterwegs. Sie haben mehr vom Land gesehen als ich.

»Danke, dass Sie gekommen sind«, sage ich.

»Und wir danken Ihnen, dass Sie Ihren Dad nach

Calico Rock gebracht haben. Sie können sich gar nicht vorstellen, was das für Joe bedeutet hat«, meint Charlie. Joe lächelt, nickt und begnügt sich damit, seinen Brüdern die meiste Zeit über das Reden zu überlassen.

»Es hat ihm wirklich viel bedeutet«, bekräftigt Red.

»Mein … Beileid«, sagt Joe.

»Danke, Joe.« Er trägt immer noch die Sonnenbrille, um sein schlimmes Auge zu verstecken, doch knapp darüber sieht man eine leichte Delle in seiner Stirn. In den Zeitungen stand, dass er auf dem Weg ins Krankenhaus dreimal zu atmen aufgehört habe.

»Joe hat Ihnen etwas mitgebracht«, sagt Red.

Mit seiner gesunden Hand greift Joe in die Innentasche seines Blazers und zieht einen Umschlag heraus. Obwohl ich ihn seit dreißig Jahren nicht mehr gesehen habe, erkenne ich ihn sofort. Es ist der Brief, den ich im September 1973 an der Joe-Castle-Wand im Mount Sinai Hospital hinterlassen hatte. Joe drückt ihn mir in die Hand. Mit einem breiten Lächeln sagt er: »Ich … möchte … dass … Sie … ihn … bekommen.«

Langsam öffne ich den Umschlag und ziehe meinen Brief heraus. Vor mir sehe ich den in Druckschrift zu Papier gebrachten Kummer eines elfjährigen Jungen: »Lieber Joe, ich heiße Paul Tracey und bin der Sohn von Warren. Was mein Vater getan hat, tut mir sehr leid.« Als ich weiterlese, überwältigen mich die Gefühle aus jenem Sommer und Herbst. Sechs Wochen lang bestand meine Welt aus Joe Castle. Ich dachte ständig an ihn. Ich las alles, was ich über ihn finden konnte. Ich verfolgte jedes seiner Spiele, kannte alle seine Stats. Ich träumte sogar davon, im selben Team wie er zu spielen – er war nur zehn Jahre älter als ich. Wenn ich es mit zwanzig in die Major Leagues geschafft hätte, wäre er immer noch im besten Alter gewesen. Wir hätten Mannschaftskameraden sein können.

Dann wurde er verletzt. Und dann war er auf einmal nicht mehr da.

Als ich den Brief zu Ende gelesen habe, stehen mir die Tränen in den Augen, doch ich bin fest entschlossen, nicht die Fassung zu verlieren. »Danke, Joe.«

»Die Cubs haben alles, was Joe bekommen hat, gesammelt. Darunter waren auch mehrere Kartons mit Briefen und Geschenken aus dem Krankenhaus. Einige Monate nach Joes Rückkehr haben sie alles nach Calico Rock geschickt, und seitdem sind die Sachen auf dem Dachboden im Haus unserer Mutter«, erklärt Red.

»Sechstausend Briefe allein aus dem Krankenhaus, insgesamt waren es dreißigtausend«, fährt Charlie fort. »Zwei Jahre später hat sich Joe die Briefe angesehen und Ihren gefunden. Er hat ihn an einem sicheren Ort aufbewahrt.«

»Er … ist … was … ganz … Besonderes«, sagt Joe.

»Danke, Joe.« Mir kommen schon wieder die Tränen.

Nach langem Schweigen wechselt Red das Thema.

»Mr. Rook von der Zeitung hat etwas von einer Geschichte erzählt, die Sie schreiben, eine Geschichte über Ihren Dad und Joe. Ist das wahr?«

»Sozusagen. Ich habe eine Geschichte geschrieben, aber Sie brauchen sich keine Gedanken zu machen. Ich werde sie nicht veröffentlichen.«

»Aber warum denn nicht?«, wirft Charlie ein. »Warum schreiben Sie keine Geschichte darüber, wie Sie Ihren Dad nach Calico Rock gebracht haben, wie er mit Joe geredet und die Wahrheit gesagt hat über das, was passiert ist? Dafür könnten Sie sogar eines der Fotos von Joe und Warren mit ihren Teammützen benutzen.«

»Das … würde … mir … gefallen«, sagt Joe lächelnd.

»Wir müssten uns das Ganze natürlich vorher ansehen, nur zur Sicherheit, aber wir haben darüber geredet, und wir glauben, dass es eine Menge Baseballfans gibt, die so eine Geschichte gern lesen würden. Joe bekommt heute noch Briefe«, meint Charlie.

Ich weiß nicht, was ich antworten soll. Warren wollte, dass ich die Geschichte zu Ende schreibe und veröffentliche. Und jetzt will Joe es auch. »Geben Sie mir ein bisschen Zeit, um darüber nachzudenken«, erwidere ich.

»Würde es ein Buch werden?«, erkundigt sich Red.

»Ich glaube nicht. Eher ein langer Artikel für ein Magazin.«

»Uns gefällt die Idee jedenfalls.«

»Gut. Ich werde darüber nachdenken.«

»Mr. Rook findet die Idee auch gut«, sagt Charlie.

Clarence und ich haben zweimal darüber gesprochen. Ich glaube, insgeheim möchte er die Geschichte selbst schreiben, aber er bringt es nicht fertig, das zuzugeben.

Wir unterhalten uns noch ein paar Minuten. Die Brüder sind neugierig und fragen nach mir und meiner Familie, nach meiner Mutter und meiner Schwester, wollen wissen, was passiert ist, nachdem Warren uns verlassen hatte. Als ich erwähne, dass ich an der University of Oklahoma studiert habe, gefällt ihnen das gar nicht. Sie sind eingefleischte Fans der Razorbacks, und ihr Team ist natürlich viel besser. Wir tun das, was viele tun, wenn sie in der baseball-losen Zeit im November nach einem Gesprächsthema suchen, und machen Witze über Football.

Plötzlich wird der Meditationsraum gebraucht. Ein paar Trauernde kommen herein, und wir gehen. Von Agnes, Marv, dem Priester oder den anderen, die sich von Warren verabschiedet haben, ist nichts zu sehen, und wir verlassen das Mausoleum. Die Brüder wollen nach Key West, für zwei Tage zum Hochseefischen, was Joe schon seit Jahren tun möchte.

Auf dem Parkplatz geben wir uns die Hand und verabschieden uns. Ich sehe zu, wie sie in einen fast neuen Pick-up mit einem Aufkleber der Razorbacks auf der Stoßstange steigen. Als sie davonfahren, winke ich ihnen nach.

Zwei Stunden später sitze ich im Flugzeug nach Hause. Ich lese noch einmal meinen Brief und spüre wieder den Kummer des verzweifelten kleinen Jungen. Dann stecke ich den Brief weg, klappe meinen Laptop auf und fange an, die Geschichte von Calico Joe zu schreiben.

Anmerkung des Autors

Wenn man reale Menschen, Orte und Ereignisse in einem Roman mischt, ist das immer eine riskante Sache. In diesem Buch geht es um die Cubs, die Mets und die Saison von 1973, aber ich appelliere an alle eingefleischten Baseballfans, keine Genauigkeit zu erwarten. Ich habe Spielpläne, Mannschafts- und Pitcher-Aufstellungen, Records und Line-ups völlig verändert und sogar einige Spieler erfunden, die ich unter die echten gemischt habe. Dies ist ein Roman, daher sollte jede Abweichung von der Wirklichkeit als zur Geschichte gehörend angesehen werden.

Gestatten Sie, dass ich mich bei einigen Leuten bedanke. Don Kessinger ist ein alter Freund aus Oxford. Er hat den ersten Entwurf von *Home Run* gelesen und festgestellt, dass einige Teile überarbeitet werden sollten. Don war von 1964 bis 1975 Shortstop bei den Cubs und kann es mit jedem professionellen Erzähler aufnehmen. Später war er der Manager der White Sox und wurde in dieser Position 1979 von Tony

LaRussa abgelöst, der 1973 (vor dem Erscheinen von Joe Castle) das letzte Mal für die Cubs spielte und (für kurze Zeit) die Nummer 42 (Joes erste Nummer) trug. Eines von Tonys Lieblingsthemen beim Essen ist der »Baseballkodex«, genauer gesagt die Feinheiten, die es beim Schutz von Mannschaftskameraden zu beachten gilt, Vergeltungsmaßnahmen und die Schwierigkeiten bei Pitches auf den Körper.

Dank gebührt auch David Gernert, Alan Swanson, Talmage Boston, Michael Harvey, Bill MacIlwaine, Gail Robinson und Erik Allen.

John Grisham, 1. Dezember 2011

Nachwort des Autors
Ein einfaches Spiel

Bei einem langen Mittagessen mit Mitarbeitern meines Verlags in London wurde mir klar, dass meinen britischen Freunden die Geschichte von Calico Joe zwar gefiel, sie aber keine Ahnung von Baseball hatten, und dass die Terminologie dieses Sports ein Rätsel für sie war. Sie baten mich, Dinge wie Drag Bunt, Pick-off, gestohlene Base, Curveball, Foul Ball und Grand Slam zu erklären – Baseballbegriffe, die die meisten amerikanischen Jungen bis zum Alter von zehn Jahren blind herunterbeten können. Ich mühte mich etwas konfus durch meine Erklärungsversuche und hatte panische Angst, dass jemand nach einem Balk, dem Bullpen oder – Gott bewahre! – der Infield-Fly-Regel fragen würde.

Irgendjemand kam schließlich auf die Idee, dass ein Nachwort zu diesem Buch hilfreich sein könnte, eine Art Kurzübersicht mit Informationen zum Spiel und einer Definition der Fachbegriffe. Im weiteren Verlauf des Essens wurde dann vorgeschlagen, dass eine solche Übersicht am besten von mir selbst geschrieben werden solle. In weiser Voraussicht sagte ich sofort Nein.

Das Regelbuch für Baseball ist fünfzehn Zentimeter dick und ein wahres Minenfeld der Verwirrung mit zahllosen mysteriösen Begriffen und Ausdrücken. Einmal habe ich in einer juristischen Fachzeitschrift einen ellenlangen Artikel gelesen, in dem bis zum Erbrechen die Frage erörtert wurde, ob die erwähnte Infield-Fly-Regel fair oder unfair ist. Wenn es um Regeln geht, ist jeder Baseballfan ein Experte – einige der schlimmsten Schlägereien, die ich erlebt habe, entstanden aufgrund von hitzigen Meinungsverschiedenheiten über unklare und missverständliche Regeln. Warum also sollte ich mich aus freien Stücken in diese Schlangengrube wagen?

Aber die Briten können sehr hartnäckig sein, und bald schon wurden Zweifel an meiner Männlichkeit angemeldet. Wie konnte ein Autor, der behauptete, das Spiel gut zu kennen, und der so viel geschrieben hatte, vor einer Zusammenfassung der Grundregeln auf läppischen fünf oder zehn Seiten zurückschrecken? Ich ließ mich nicht umstimmen, weil ich die Aufgabe beängstigend und gefährlich fand. Beim Dessert fiel die Bemerkung – der alle am Tisch sofort zustimmten –, dass eine solche Erläuterung den Verkauf erheblich steigern würde, und zwar nicht nur in Großbritannien, sondern auf dem gesamten ausländischen Markt. Da gab ich klein bei. Ich bin auch nur ein Mensch.

Im Folgenden nun also mein Versuch, einen allgemeinen Überblick über meinen Lieblingssport zu geben. Dies wurde schon sehr oft versucht, und Autoren mit weitaus mehr Talent als ich sind mit ihren Bemühungen, ihre gewaltigen Kenntnisse über Baseball knapp und verständlich weiterzugeben, kläglich gescheitert. Wenn auch ich scheitere, dann in dem Bewusstsein, dass ich nicht der Erste und auch nicht der Letzte sein werde, dem dies widerfährt. Dann mal los:

Stellen Sie sich vor, Sie sind Baseballspieler, einer von jeweils neun Spielern auf dem Feld in einem aus fünfundzwanzig Spielern bestehenden Team. Sie tragen Spielerkleidung und sind bereit, mit dem Spiel zu beginnen. Sie gehören zur Gastmannschaft und sind der erste **Batter** (ein Offensivspieler). Sie verlassen den **Dugout** (den Bereich mit einer Bank oder ähnlichen Sitzgelegenheiten, in dem sich Ihr Team während des Spiels aufhält) und gehen zur **Home Plate**, die manchmal auch **Home Base** oder einfach **Home** genannt wird (eine weiße, fünfeckige Platte aus Hartgummi mit Seitenlängen von einundsechzig und fünfzehn Zentimetern, die so im Boden verankert ist, dass sie zur Oberfläche des umliegenden Spielfelds eben ist). Da Sie etwas besprechen möchten, stellen Sie sich auf die Home Plate und bitten um eine Spielunterbrechung. In einem richtigen Spiel würden Sie das nicht tun, aber bitte haben Sie etwas Geduld mit mir.

Während Sie auf der Home Plate stehen und Ihren **Schläger** (ein glattes, rundes Stück Eschen-, Ahorn- oder Hickoryholz, das nicht dicker als 6,63 Zentimeter und nicht länger als 106,7 Zentimeter sein darf) in der Hand halten, sehen Sie sich das Spielfeld an. Rechts von Ihnen befindet sich in einem Winkel von fünfundvierzig Grad und einer Entfernung von 27,43 Metern die **erste Base** (ein weißes Kissen aus segeltuchähnlichem Stoff mit einer Seitenlänge von achtunddreißig Zentimetern, das zwischen 7,5 und 13 Zentimeter dick sein muss). Links von Ihnen befindet sich in einem Winkel von fünfundvierzig Grad und einer Entfernung von 27,43 Metern die **dritte** Base. Die **zweite Base** befindet sich direkt vor Ihnen, in einer Entfernung von 38,80 Metern. Die vier Bases – Home, erste, zweite und dritte – bilden ein auf einer Ecke stehendes Quadrat (auch »Diamond« genannt) und ergeben das **Infield**. Hinter dem Infield befindet sich das **Outfield**, eine Grasfläche, die an der Mauer oder der sonstigen Begrenzung des Outfield endet. Den Bereich jenseits der zweiten Base nennt man **Center Field**. Den Bereich jenseits der ersten Base nennt man **Right Field**. Den Bereich jenseits der dritten Base nennt man **Left Field**. Die Maße des Infield sind genau festgelegt, doch die Entfernung von der Home Plate zur Begrenzung des Outfield variiert von Feld zu Feld. Sie liegt meist zwischen neunundneunzig und einhundertzweiund- zwanzig Metern.

Von der Home Plate führt eine **Foul-Linie**, die

in der Regel durch eine weiße Kreidelinie markiert wird, am Rand der ersten Base vorbei bis zur Outfield-Begrenzung im Right Field, wo ein hoher gelber **Foul Pole** (ein Markierungsmast) steht. Diese Linie und der Mast trennen das **Foul Territory** vom **Fair Territory**. Eine identisch aussehende Foul-Linie verläuft von der Home Plate an der dritten Base vorbei bis zur Outfield-Begrenzung im Left Field.

Wenn ein geschlagener Ball die Linie oder den Mast trifft, ist das ein **Fair Ball**. Fragen Sie lieber nicht nach …

Während Sie sich das Feld ansehen und sich für Ihren ersten **At Bat** (einen Schlagdurchgang an der Home Plate) bereit machen, fallen Ihnen die Spieler der Defensivmannschaft ins Auge: **First Baseman, Second Baseman, Third Baseman, Right Fielder, Center Fielder** und **Left Fielder**. Lediglich der **Shortstop** (in der Regel der beste Infielder, der sich zwischen der zweiten und der dritten Base postiert) kommt Ihnen etwas merkwürdig vor. Außerdem gibt es noch den **Pitcher**, aber zu dem kommen wir später.

Das neunte Mitglied der Defensivmannschaft steht hinter Ihnen – der **Catcher**, stets ein zäher Bursche, der eine Schutzmaske und alle möglichen Schutzpolster trägt. Hinter dem Catcher steht der **Home-Plate-Schiedsrichter**, der hauptverantwortliche Schiedsrichter, der ebenfalls eine Schutzmaske trägt, dazu Schienbeinschützer, Brustpanzer und eventuell noch andere Schutzausrüstung. Im Infield stehen drei weitere Schiedsrichter, jeweils einer an der ersten, zweiten und dritten Base; sie tragen keine Schutzausrüstung.

Auf halbem Weg zwischen Home Plate und zweiter Base und direkt vor Ihnen befindet sich ein kleiner Erdhügel, der etwa fünfundzwanzig Zentimeter höher liegt als das Spielfeld. Das ist der **Wurfhügel**, auf dem eine rechteckige weiße Platte aus Hartgummi mit den Abmessungen fünfzehn auf einundsechzig Zentimeter liegt – die **Pitcher's Plate.** Der Wurfhügel ist die Domäne des wichtigsten Defensivspielers, eigentlich des wichtigsten Spielers auf dem ganzen Feld – des **Pitchers.** Er hat die Aufgabe, Bälle in Richtung der Home Plate zu werfen, und zwar so, dass der Catcher sie fängt, ohne dass sie von Ihnen, dem Batter, getroffen werden.

Irgendwann schreit der Home-Plate-Schiedsrichter *»Play ball!«.* Dann müssen Sie sich in die **Batter's Box** (eine mit weißen Kreidelinien markierte Fläche mit den Abmessungen 1,80 auf 1,20 Meter) stellen. Es gibt zwei Batter's Boxes, eine auf jeder Seite der Home Plate. Die eine ist für die Rechtshänder, die andere für die Linkshänder unter den Battern. Einige Batter sind **beidhändige Batter**, was bedeutet, dass sie von beiden Seiten der Home Plate aus schlagen können. Sie können sich aussuchen, von welcher Seite sie schlagen möchten.

Da die meisten Batter Rechtshänder sind, nehmen wir an, dass auch Sie Rechtshänder sind, daher stellen Sie sich jetzt rechts von der Home Plate auf. Der Catcher hinter Ihnen geht tief in die Hocke und macht sich bereit, den vom Pitcher geworfenen Ball zu fangen. Auch der Home-Plate-Schiedsrichter hinter dem Catcher macht sich bereit. Ihr Ziel als Hitter besteht darin, von der Home Plate aus zur ersten Base zu gelangen und von dort aus zur zweiten Base, zur dritten Base und zurück zur Home Plate. Wenn Sie das geschafft haben, bekommt Ihr Team einen **Run**. Der Spielstand entspricht der Anzahl der Runs.

Ihr gefürchteter Gegner bei diesem kurzen Duell ist der Pitcher, und er hat ein völlig anderes Ziel als Sie. Er will auf keinen Fall, dass Sie die erste Base erreichen, und erreicht sein Ziel erheblich öfter als Sie das Ihre. Er steht mit einem Fuß auf der Pitcher's Plate und geht nun in seinen **Wind-up**, eine Serie ausladender Körperbewegungen zur Vorbereitung des Wurfs, die unter anderem aus Tritten mit den Beinen und wildem Herumschlagen mit den Armen besteht. Damit will der Pitcher zweierlei erreichen: Erstens, er will Schwung holen, um den Ball schneller in Richtung Home Plate befördern zu können, und zweitens, er will Sie verwirren und verbergen, in welchem Winkel er den Ball loslassen wird. Kein Wind-up gleicht dem anderen, und Pitcher haben alle möglichen Zuckungen entwickelt, um Hitter aus dem Konzept zu bringen.

Der Pitcher zielt mit seinem Wurf auf die **Strike Zone**, ein nur vage definiertes Ziel, das sich zudem ständig ändert. Dem Regelwerk zufolge ist die Strike

Zone »der Raum über der Home Plate, dessen obere Grenze eine horizontale Linie in der Mitte zwischen den Schultern und dem oberen Rand der Hose ist. Die untere Grenze verläuft an der Unterkante der Kniescheibe. Die Strike Zone wird bestimmt von der Haltung des Batters in dem Moment, in dem er bereit ist, einen gepitchten Ball zu schlagen.«

Der einfachere Teil ist die Stelle mit »der Raum über der Home Plate ...«, weil das ein fester Bereich ist. Der Teil, in dem es um Schultern, Hosen, Kniescheiben und Haltung geht, lässt sich nicht definieren. Da jeder Spieler anders aussieht, ändert sich die Strike Zone genau genommen mit jedem Batter.

Kein Aspekt im Baseball ist so kontrovers wie die Strike Zone. Jeder Schiedsrichter hat eine leicht andere Auffassung davon, und im Verlauf eines zweistündigen Spiels mit dreihundert geworfenen Pitches ändert sich auch schon mal die Strike Zone eines Schiedsrichters. Für Pitcher und Hitter kann das mitunter sehr frustrierend sein.

Ein Pitch, der vom Catcher gefangen wird, nachdem er durch die Strike Zone geflogen ist, wird vom Home-Plate-Schiedsrichter zum **Strike** erklärt. Drei Strikes, und der Batter ist **out**. Ein Pitch, der vom Catcher gefangen wird und nicht in der Strike Zone war, ist ein **Ball** (englische Aussprache). Vier Balls, und Sie bekommen einen **Walk**, der auch **Base on Balls** genannt wird. Das ist eine Art Freikarte, Sie dürfen dann zur ersten Base laufen. Wenn Sie, der Batter, nach dem Ball schwingen und ihn verfehlen, ist das auch ein Strike, unabhängig davon, ob der Pitch in der Strike Zone war oder nicht.

Häufig schwingen Sie nach einem Ball und treffen ihn dann nicht mit voller Wucht. Dann prallt der Ball vom Schläger ab und fliegt ins Foul Territory. Das ist ein **Foul Ball.** Ihre ersten beiden Foul Balls in einem At Bat sind Strikes. Danach können Sie so viele Bälle ins Foul Territory schlagen, wie Sie möchten, ohne dafür bestraft zu werden. Gute Hitter schwingen bei guten Pitches – den Würfen, die in der Strike Zone sind – und lassen schlechte Pitches – Würfe, die nicht in der Strike Zone sind – einfach durch. Richtig gute Hitter schlagen Pitches, die ihnen nicht gefallen, mit Absicht ins Foul Territory und warten auf einen besseren Pitch.

Jetzt tun wir so, als würden Sie schlagen. Der erste Pitch ist ein **Fastball** (der häufigste Pitch, ein Wurf, der in der Regel in einer geraden Linie und sehr schnell auf den Batter zukommt) und einige Zentimeter »außerhalb« der Strike Zone. Der Schiedsrichter brüllt »*Ball one!*«. Der **Count** ist jetzt 1 und 0, ein Ball und keine Strikes. Das freut Sie, denn Sie liegen (vorübergehend) »im Count vorn«, was für Sie als Hitter ein leichter Vorteil ist, der aber vermutlich gleich wieder vorbei sein wird. Der Catcher wirft den Ball zum Pitcher zurück, der sich schnell für den nächsten Pitch bereit macht. Er geht in seinen Windup und wirft den zweiten Pitch, einen **Curveball** (dieser langsame Wurf mit gekrümmter Flugbahn soll den Batter verwirren), der in Brusthöhe kommt und außerhalb der Strike Zone liegt. »*Ball two!*«, erklärt der Schiedsrichter.

Ein Pitcher hat viele Waffen in seinem Arsenal, von denen er den Fastball und den Curveball am häufigsten verwendet. Außerdem gibt es noch den Slider, Changeup, Knuckleball, Screwball, Cutter und ein Dutzend andere. Nicht jeder Pitcher beherrscht alle diese Würfe. Die meisten haben drei oder vier Techniken in ihrem Repertoire, mit denen sie den Ball erstaunlich präzise und schnell werfen können. In der Geschichte des Baseballs gibt es zahlreiche Beispiele für den Versuch, weitere Wurftechniken zu entwickeln, mit denen der Batter daran gehindert werden soll, den Ball zu treffen.

Da ich ein schlechter Hitter war, bin ich auf Pitcher nicht sonderlich gut zu sprechen. In meiner aktiven Zeit fand ich sie immer einschüchternd und brutal, ja sogar sadistisch. Mit neunzehn, als ich einen Fastball mit beinahe einhundertfünfzig Stundenkilometern auf meinen Kopf zurasen sah, habe ich mich vom Baseballspielen verabschiedet. Es hat mir nicht leidgetan.

Da ich nicht gepitcht habe, bin ich nicht der Richtige, um die Feinheiten der verschiedenen Pitches zu erläutern. Sagen wir einfach, dass sich der Ball nur selten in einer geraden Linie von der Hand des Pitchers zum Handschuh des Catchers bewegt. Es ist weitaus wahrscheinlicher, dass der Ball so flattert und schlenkert, dass er einen durchschnittlichen Zuschauer in Angst und Schrecken versetzen würde, wenn dieser aus irgendeinem Grund an der Home Plate stünde.

Der Count ist jetzt 2 und 0 (zwei Balls und keine Strikes), und Sie als Batter haben in diesem At Bat die Oberhand. Der Pitcher muss jetzt einen Ball in die Strike Zone werfen, wo Sie ihn mit möglichst viel Kraft treffen wollen. Er wirft, Sie schwingen – ein Fastball mitten in die Strike Zone. Allerdings sind Sie mit so viel Begeisterung bei der Sache, dass Sie den Ball nicht richtig treffen, daher landet er im Foul Territory, bei den Tribünen, wo die Fans zuschauen. Strike one. Der Count ist 2 und 1.

Da Sie der **Lead-off-Hitter** sind, der erste Batter für Ihr Team, sind Sie vermutlich recht flink auf den Beinen. Sie haben die Aufgabe, zur ersten Base zu kommen, ohne ein Out zu kassieren. Das könnten Sie zum Beispiel mit einem **Bunt** erreichen, einem verkürzten Schwung, bei dem der Ball sozusagen vom Schläger »abtropft« und nur ein paar Meter von der Home Plate entfernt im Feld landet, was die Defensivspieler überrumpelt, die an der falschen Stelle stehen und Schwierigkeiten haben, ihn zu fangen. Ein schneller Runner, der gut »bunten« kann, ist ein starker Offensivspieler. Es gibt verschiedene Versionen des Bunt, eine davon ist der **Drag Bunt,** der auf dem Spielfeld allerdings nur selten zu sehen ist. Dabei läuft der Batter – immer von der linken Seite, da es von dort etwas näher zur ersten Base ist – los, noch bevor er den Ball geschlagen hat, nimmt den Schläger hinter sich und schlägt den Ball auf dem

Weg zur ersten Base im Laufen von der Baseline aus (die an dieser Stelle des Feldes auch die Foul-Linie ist). (Ich erwähne das nur, weil unser Held, Joe Castle, in Kapitel 2 einen Drag Bunt schlägt.)

Doch Sie entscheiden sich gegen einen Bunt und beschließen »draufzuhauen«, also frei zu schwingen. Der vierte Pitch in Ihrem Durchgang ist, sagen wir mal, ein Slider. Ich habe keine Ahnung, wie sich ein Slider verhält, aber ich weiß, dass er sehr schwierig zu schlagen ist, wenn er richtig geworfen wird. Dieser Slider ist perfekt. Sie lassen den Ball durch, und der Schiedsrichter brüllt »*Strike two!*«. Der Count ist jetzt 2 und 2, und Sie sind einen Strike davon entfernt, out gemacht zu werden, was bedeuten würde, dass man Sie in den Dugout schickt, ohne dass Sie eine Belohnung für Ihre Bemühungen an der Home Plate bekommen. Ein **Strikeout** ist für Sie als Batter die demütigendste Erfahrung im Spiel, aber trösten Sie sich – es gibt noch einige mehr.

Im Baseball ist Scheitern normal. Sie werden weitaus mehr Outs als sonst im Leben hinnehmen müssen. Wenn Sie lediglich in dreißig Prozent Ihrer At Bats einen **Hit** erzielen (Sie erreichen die erste Base, bevor der Ball dort eintrifft), wird man Sie als Spitzenspieler bezeichnen und praktisch wie einen Gott verehren. Sie werden in einer Spielzeit Millionen verdienen, und irgendwann werden Sie von den Weisen und Mächtigen in die Hall of Fame (die letzte Ruhestätte aller großen Spieler) gewählt.

Jedes Team darf sich drei Outs in einem **Inning** (in

seinen At Bats) erlauben. Ein Spiel hat neun Innings. Die Gastmannschaft kommt in der ersten Hälfte des Innings an den Schlag, und zwar so lange, bis sie drei Outs kassiert hat. In der zweiten Hälfte ist dann die Heimmannschaft dran, bei der es genauso läuft. Nach neun Innings hat das Team mit den meisten Runs gewonnen. Steht es nach neun Innings unentschieden, geht das Spiel mit zusätzlichen Innings weiter, wobei sich jedes Team wie gehabt drei Outs pro Inning erlauben darf. Irgendwann hat ein Team mehr Runs als das andere, dann ist das Spiel zu Ende. Das längste Spiel in der Geschichte des Baseballs ging über sechsundzwanzig Innings und dauerte mehr als acht Stunden.

Beim Count von 2 und 2 wirft der Pitcher seinen nächsten Pitch, und Ihnen bleiben nur Sekundenbruchteile für die Entscheidung, ob Ihnen der Wurf gefällt oder nicht. Der Pitch sieht gut aus, Sie schwingen, treffen gut und schlagen einen Ground Ball in Richtung des Shortstop, zwischen die zweite und dritte Base. Ein **Ground Ball** ist genau das, was der Name sagt – er kommt im Infield auf und hüpft oder rollt weiter, im Gegensatz zu einem **Fly Ball**, der hoch in die Luft geschlagen wird. Außerdem gibt es noch den **Line Drive**, das ist ein schneller, harter Ball, der in gerader Linie, aber nicht sehr hoch geschlagen wird und den Boden nicht berührt.

Sobald Sie den Ball geschlagen haben, müssen Sie den Schläger ablegen und zur ersten Base sprinten. Der Shortstop fängt den Ball mit seinem Handschuh, geht in Wurfposition und wirft ihn zur ersten Base, wo der First Baseman schon darauf wartet. In der Zwischenzeit rennen Sie den **Base Path** entlang und versuchen, vor dem Ball an der ersten Base zu sein. Der First Baseman setzt den Fuß auf die Gummi-platte an der ersten Base und macht sich bereit, den Wurf vom Shortstop zu fangen. Gelingt ihm das, be-vor Sie die Gummiplatte berührt haben, nennt man das einen **Ground-out** – Sie sind draußen, als erster Spieler Ihrer Mannschaft, in der ersten Hälfte des ersten Innings. Falls Sie jedoch »den Wurf schlagen«, also die erste Base berühren, bevor der Ball dort an-kommt, haben Sie einen Hit erzielt, einen sauber ge-schlagenen Ball, mit dem Sie an die erste Base kom-men. Um den Wurf zu schlagen, dürfen Sie »durch« die erste Base laufen und erst dahinter langsamer werden. Für die zweite und dritte Base gilt diese Re-gel jedoch nicht.

Hits sind das Wichtigste, wenn Ihre Mannschaft in der Offensive spielt. Es gibt verschiedene Arten von Hits. Ein **Single** ist ein Hit, mit dem Sie zur ersten Base kommen. Ein **Double** bringt Sie zur zweiten, ein **Triple** zur dritten. Und ein **Home Run** ist ein perfekt geschlagener Ball, der eine weite Strecke in der Luft zurücklegt, über die Outfield-Begrenzung fliegt und die Zuschauer in Verzückung geraten lässt. Ein sehr seltener Spielzug ist der **Inside-the-Park-Home-Run**, bei dem der Ball nicht über den Zaun fliegt, sondern im Outfield herumspringt, während ein schneller Runner »die Bases umrundet« und schließlich die Home Plate erreicht. Außerdem gibt es noch den **Grand Slam**, aber zu dem kommen wir gleich.

Da Sie ein guter Sportler und sehr schnell sind, schlagen Sie den Wurf und erreichen die erste Base. Der Schiedsrichter erklärt Sie für »*Safe!*«, was schon mal ein guter Anfang für Sie ist. Da der Ball das Outfield nicht erreicht hat, nennt man das **Infield Hit**. Ein erfolgreicher Bunt würde in die gleiche Kategorie fallen.

Sie stehen jetzt an der ersten Base und denken natürlich sofort daran, wie Sie zur zweiten kommen. Hier gibt es mehrere Möglichkeiten, von denen einige gefährlicher als andere sind. Der Pitcher auf dem Wurfhügel hat den Ball und sieht Sie über die Schulter hinweg an. Der First Baseman steht an der ersten Base, da Sie jetzt **Base Runner** sind und damit das Recht haben, »Abstand« von der Base zu nehmen. Dabei lösen Sie sich einige Schritte von der Base, um näher an die zweite Base zu kommen. Dabei müssen Sie aber sehr vorsichtig sein, denn der Pitcher könnte den Ball zur ersten Base werfen, wo der First Baseman ihn mit seinem Handschuh fangen und mit ihm Ihre Füße, Arme oder Beine berühren könnte, wenn Sie zurück in die Sicherheit der ersten Base hechten. Das ist dann ein **Pick-off**-Versuch, und wenn er erfolgreich ist, sind Sie draußen. Sie hätten ein Out kassiert, und zwar eines, das nicht zu entschuldigen wäre, und müssten in Schimpf und Schande in den Dugout zurückkehren.

Aber dafür sind Sie natürlich zu schlau, und deshalb kommt es nicht zu einem Pick-off-Versuch. Der Pitcher geht in einen **Stretch**, einen leicht abgeänderten Wind-up, der eingesetzt wird, wenn Runner auf einer Base sind, und wirft einen Pitch zur Home Plate, wo jetzt der Spieler Ihrer Mannschaft, der an zweiter Stelle der **Batting Order** (auch **Line-up** genannt) steht, am Schlag ist. *»Strike one«*, sagt der Schiedsrichter. Der Fänger wirft Ihnen einen kurzen Blick zu, dann schleudert er den Ball zum Pitcher zurück, der auf dem Wurfhügel steht, einen Fuß auf der Gummiplatte hat und den Catcher ansieht, der jetzt entscheidet, welchen der vorhin erwähnten Pitches er als Nächstes haben möchte. Mit der rechten Hand gibt der Catcher dem Pitcher ein Zeichen. Der Pitcher ist einverstanden, nickt und geht in seinen Stretch.

Von den Schiedsrichtern wird der Stretch genau beobachtet. Die Bewegungen sind exakt vorgeschrieben, und wenn ein Pitcher bei seinem Stretch versucht, Sie durch eine falsche Bewegung zu täuschen, wird der Schiedsrichter einen **Balk** erklären. Dann dürfen Sie zur zweiten Base vorrücken, ohne etwas dafür tun zu müssen. Balks sind allerdings sehr selten, und in den meisten Spielen gibt es gar keine.

Ihr Coach, der in einer **Coach's Box** im Foul Territory in der Nähe der dritten Base steht, macht ein paar Bewegungen (»Zeichen« genannt) mit seinen Händen und teilt Ihnen auf diese Weise mit, dass Sie »die zweite Base stehlen« sollen. Das ist ein riskanter

Spielzug in der Offensive, der nur in etwa sechzig Prozent der Fälle funktioniert, aber Sie haben keine andere Wahl, Sie tun, was der Coach sagt. Sie nehmen Abstand von der Base, beobachten den Pitcher, um sicher zu sein, dass er keinen Pick-off versucht, und wenn klar ist, dass er zur Home Plate werfen wird, drehen Sie sich um und sprinten zur zweiten Base. Das werden mit Sicherheit die längsten siebenundzwanzig Meter Ihres Lebens sein. Catcher können sehr gut werfen. Sie feuern den Ball ins Infield und treffen dabei auch noch, und sie sehen es gar nicht gern, wenn ein Base Runner versucht, eine Base zu stehlen. Der zweite Batter, Ihr Mannschaftskamerad, geht den Pitch an, verfehlt ihn aber. Der Catcher schnappt sich den Ball, während er aufsteht, und wirft ihn innerhalb von Sekundenbruchteilen zur zweiten Base, wo der Second Baseman bereitsteht, um ihn zu fangen. Wenn Sie in vollem Lauf die zweite Base erreichen, führen Sie einen **Slide** aus, Sie springen und rutschen mit den Füßen voran in die Base, um den Wurf vom Catcher zu schlagen. Die ganz harten Spieler machen das mit dem Kopf voran, doch deren Karrieren dauern nie sehr lange.

Das Stehlen einer Base gehört zu den aufregendsten Spielzügen im Baseball. Es geschieht immer sehr schnell – ein schneller Läufer, ein Catcher mit einem starken Wurfarm, Staub wirbelt auf, manchmal prallen die Spieler aufeinander, und der Schiedsrichter geht stets mit.

Sie berühren die zweite Base mit Ihrem Fuß in

dem Moment, in dem der Handschuh mit dem Ball Ihren Arm trifft, und der Schiedsrichter brüllt: »*Safe!*« In der statistischen Zusammenfassung des Spiels, der **Box Score**, steht jetzt außer Ihrem Base Hit auch noch eine gestohlene Base. Sie bitten mit dem Ruf »*Time out*« um eine Spielunterbrechung, klopfen sich den Staub ab und fangen an, sich Gedanken über die dritte Base zu machen.

Beim nächsten Pitch schlägt der Batter einen weiten Fly Ball ins Left Field, der dort »im Flug« vom Left Fielder gefangen wird, sodass es zum ersten Out des Innings kommt. Das nennt man dann einen **Fly-out** oder **Pop-out**. Ein Line Drive, der von einem Defensivspieler gefangen wird, führt zu einem **Line-out**. Sie können jetzt nicht zur nächsten Base vorrücken. Der nächste Batter schlägt einen Ground Ball zum Shortstop, der ihn sich schnappt, kurz einen Blick in Ihre Richtung wirft, um sich zu vergewissern, dass Sie nicht auf die Idee kommen, zur dritten zu sprinten, und wirft den Ball zur zweiten Base, womit er das zweite Out erzielt hätte. Da an der ersten Base kein Runner steht, müssen Sie nicht unbedingt zur dritten laufen. Wenn jedoch an der ersten Base ein Runner wäre, dann wäre dieser natürlich gezwungen, bei dem Ground Ball zur zweiten zu laufen, was dann wiederum Sie dazu zwingen würde, zur dritten zu laufen.

Jetzt tritt der vierte Batter Ihres Teams an die Plate. Er wird auch **Clean-up-Hitter** genannt, da er die Aufgabe hat, die Bases zu »leeren«, also sämtliche

Runner auf den Bases zur Home Plate zu bringen. In der Regel stehen die besten Hitter an erster bis fünfter Stelle des Line-up, während die schlechteren Hitter weiter hinten auftauchen. Clean-up-Hitter haben so viel Schlagkraft, dass sie weite Home Runs erzielen können. Da bei Home Runs in der Regel »auf den Zaun geschwungen« wird, kassieren sie auch viele Strikeouts. Und weil sie auf dem Spielfeld gefürchtet sind, sind Pitcher immer sehr vorsichtig, wenn sie es mit einem Clean-up-Hitter zu tun bekommen.

Nehmen wir an, der Clean-up-Hitter Ihres Teams ist besonders gefürchtet und schlägt gerade richtig gut. Da die erste Base »offen« ist (sie ist nicht durch einen Runner besetzt) und es bereits zwei Outs gibt, beschließt der Pitcher, auf Nummer sicher zu gehen. Er wirft einige Pitches, die außerhalb der Strike Zone sind. Wenn der Schiedsrichter »*Ball four*« ruft, bekommt der Clean-up-Hitter einen Walk und läuft langsam zur ersten Base. Sie sind an der zweiten, Ihr Hitter an der ersten, bei zwei Outs.

Sie überlegen, ob Sie die dritte Base stehlen sollen, doch das ist noch riskanter, als die zweite zu stehlen, da die Entfernung von der dritten Base zur Home Plate kürzer ist; daher braucht der Catcher auch nicht so weit zu werfen. Das Stehlen der dritten Base klappt nur in zwei von fünf Versuchen, und Ihr Coach will das Risiko nicht eingehen. Sie bleiben, wo Sie sind, nehmen etwas Abstand von der zweiten Base und sehen zu, wie der fünfte Hitter zur Home Plate geht. Der erste Pitch ist ein **Wild Pitch**, ein Ball, der vom

Boden abprallt, bevor der Catcher ihn fangen kann. Der Ball rollt einige Meter weg, sodass Sie zur dritten Base sprinten können. Der Clean-up-Hitter sprintet zur zweiten; beide Runner rücken also eine Base vor. Bei jedem Spiel gibt es einen offiziellen **Scorer**, und wenn er der Meinung ist, dass der Catcher in der Lage gewesen wäre, den Ball zu fangen, wird der Pitch als **Passed Ball** eingetragen, was ein Fehler für den Catcher ist. Es ist auf jeden Fall ein Fehler der Defensive.

Der nächste Pitch ist ein Fastball mitten durch die Strike Zone, und der Hitter schwingt, trifft und schlägt einen harten Ground Ball zum Third Baseman, der ihn nicht sauber fangen kann und fallen lässt. Als er den Ball schließlich zu fassen bekommt und ihn zur ersten Base werfen kann, ist es zu spät. Der Third Baseman kassiert vom Scorer einen Error, ein weiterer Fehler der Defensive.

Da jetzt Runner auf der ersten, der zweiten und der dritten Base stehen, sind die Bases »geladen«. Bei weiterhin zwei Outs kommt der sechste Batter an die Plate. Da es für die Defensive nicht gut läuft, dürfte der Pitcher inzwischen ziemlich sauer sein. Er versucht, das zu tun, was Pitcher häufig tun, wenn sie frustriert sind – er wirft den Ball so hart wie möglich. Das gibt in der Regel nur Ärger. Sein zweiter Pitch ist ein Fastball, und der Batter schlägt so gut, dass der Ball über die Begrenzung am Left Field fliegt, ein wunderschöner Home Run. Und da die Bases geladen sind, ist das nicht nur ein Home Run, sondern ein **Grand Slam**. Dafür gibt es vier Runs.

Sie laufen langsam zur Home Plate, stellen sich auf die Plate und haben damit Ihren ersten Run erzielt. Hinter Ihnen kommen die Runner, die an der zweiten und der ersten Base waren. Wenn der Clean-up-Hitter alle Bases umrundet hat und die Home Plate erreicht, ist sein Run der vierte.

Nach dem dritten Out wird gewechselt. Die neun Defensivspieler gehen vom Feld und tauschen in ihrem Dugout die Fanghandschuhe gegen Schläger aus. Sie und Ihre Mannschaftskameraden legen die Schläger weg und nehmen die Handschuhe. In der zweiten Hälfte des ersten Innings schlägt die Heimmannschaft, und Ihr Team geht auf das Feld. Nehmen wir an, Sie sind der Second Baseman. Der erste Batter schlägt einen Line Drive durch die Mitte und erzielt einen Base Hit. Er ist jetzt an der ersten Base. Der zweite Batter geht den Ball dreimal an, verfehlt ihn aber jedes Mal, daher kassiert er einen Strikeout. Das erste Out. Der dritte Batter schlägt einen Ground Ball zum Shortstop, der den Ball sauber fängt und ihn dann zu Ihnen wirft, da Sie die zweite Base »decken«. Sie fangen den Ball, und damit ist der Runner an der ersten Base, der zur zweiten laufen muss, out. Das zweite Out. Sobald Sie den Ball im Handschuh haben, werfen Sie ihn zur ersten Base und treffen den Runner (den Hitter). Das nennt man ein **Double Play**. Das dritte Out. Innerhalb weniger Sekunden wurde das zweite und das dritte Out erzielt, und die zweite Hälfte des ersten Innings ist vorbei. Double Plays sind Routine und der wichtigste Spielzug der Defensive.

Im zweiten Inning stehen Sie im **On-Deck-Circle** (eine kreisförmige Fläche in der Nähe des Dugout, wo Sie warten, bis Sie mit Schlagen an der Reihe sind). Da Ihr Team im ersten Inning acht Batter an die Plate geschickt hat, schlägt der neunte Batter im zweiten Inning zuerst. Sie als Lead-off-Batter sind dann nach ihm an der Reihe. Der neunte Hitter ist stets der Pitcher, und Pitcher sind immer miserable Hitter. An diesem wunderbaren Abend trifft der Pitcher Ihrer Mannschaft jedoch durch die Mitte, genau über der zweiten Base, und erzielt einen Base Hit, was bei ihm nicht sehr oft vorkommt.

Sie sind als Nächster dran. Sie stellen sich an die Plate und nehmen Ihre Schlaghaltung ein. Sagen wir mal, der Pitcher und Sie kennen sich schon seit ein paar Jahren und sind schon ein paarmal aneinandergeraten. Er kann Sie nicht leiden, was auf Gegenseitigkeit beruht. Außerdem ist er an dem Abend sowieso schlecht drauf. Aus irgendeinem Grund (häufig gibt es keinen guten Grund) beschließt dieser Pitcher, einen **Beanball** zu werfen – einen Fastball, der den Batter am Kopf treffen soll. Er geht in seinen Wind-up und feuert den Ball auf Ihren Kopf. Im letztmöglichen Sekundenbruchteil gelingt es Ihnen, sich wegzudrehen. Um ein Haar wären Sie von dem Beanball getroffen worden. Das ärgert Sie natürlich, weshalb Sie einige gewählte Worte in Richtung des Pitchers brüllen, der sich mit ähnlichen Nettigkeiten revanchiert, und bald werden Sie beide vom Schiedsrichter aufgefordert, sich zu mäßigen. Den Beanball erwähne ich nur, weil er in der Geschichte von Calico Joe eine wichtige Rolle spielt. In den meisten Spielen auf professionellem Niveau werden keine Beanballs geworfen. Es ist allerdings nichts Ungewöhnliches für einen Pitcher, »nach innen«, also auf den Körper des Hitters zu werfen, und dafür gibt es mehrere strategische Gründe. Ein derartiger Pitch wird auch **Brushback** genannt.

Der Count ist ein Ball, keine Strikes. Sie denken immer noch an den Beanball, und der Pitcher wirft einen perfekten Fastball »an die Außenkante« (an den Rand der Home Plate, gerade so nah, dass er noch als Strike gilt). Ein Ball, ein Strike. Sie vergessen den Beanball und konzentrieren sich darauf, einen Hit zu erzielen. Den nächsten Pitch schlagen Sie aus dem Feld, also ins Foul Territory. Ein Ball, zwei Strikes. Der nächste Pitch kommt perfekt, und Sie hämmern den Ball zwischen den Left Fielder und den Center Fielder durch. Ihr Pitcher, der an der ersten Base steht, erreicht mühelos die Home Plate und bringt den Spielstand auf 5 : 0. Sie schaffen es bis zur zweiten Base und haben damit einen **Run Batted In** (RBI) erzielt. Einem Hitter mit vielen RBIs ist eine lange, finanziell einträgliche Karriere beschert.

Der nächste Batter, der im Line-up Ihrer Mannschaft an zweiter Stelle steht, schlägt einen Pop Fly, der sich ins Foul Territory verirrt, wo er vom Third Baseman gefangen wird. Ein Out. Ein Fly Ball kann im Foul Territory gespielt werden, ein Ground Ball dagegen nicht.

Der nächste Batter kassiert einen Strikeout, was dazu führt, dass Sie auf der Base »verhungern«, was man auch **Left on Base** (LOB) nennt. Da Ihre Hälfte des Innings jetzt vorbei ist, dürfen Sie im nächsten Inning nicht an die zweite Base zurückkehren. Die gegnerische Mannschaft kann in der zweiten Hälfte des zweiten Innings nicht viel ausrichten. Sie schickt drei Batter an die Plate, die alle drei out gemacht werden. (Keine Angst – ich werde Sie in dieser Einführung nicht durch ein ganzes Spiel mit neun Innings zerren.)

In der ersten Hälfte des dritten Innings kommt der Pitcher der gegnerischen Mannschaft immer mehr in die Bredouille. Er muss zwei Walks und einen Double abgeben. Langsam wird klar, dass er kein »gutes Repertoire« hat und aus dem Spiel genommen werden sollte. Es kommt selten vor, dass der **Starting Pitcher** ein **Complete Game** pitcht, also in allen neun Innings eines Spiels. Der Coach ist froh, wenn er sechs oder sieben Innings übersteht, bevor er gegen einen **Relief Pitcher** oder **Reliever** ausgewechselt wird. Ein Profikader besteht aus fünfundzwanzig Spielern, von denen zehn Pitcher sind. Von diesen zehn sind fünf Starting Pitcher und fünf Reliever.

Der Erfolg eines Pitchers wird in **Wins** und **Losses** gemessen. Bei jedem Spiel gibt es einen Winning Pitcher und einen Losing Pitcher. Eine andere Kennzahl für den Erfolg eines Pitchers ist der **Earned Run Average (ERA)**. Grob gesagt ist das die Anzahl der Runs, die ein Pitcher pro Spiel zulässt.

Baseball ist ein Spiel mit endlosen Statistiken, doch nur ein paar davon sind wirklich wichtig. Für einen Hitter sind das der **Batting Average**, also sein Schlagdurchschnitt, und die **Runs Batted In (RBI)**, die Runs in einem Spiel, die durch einen Schlag des Batters erzielt werden. Für einen Pitcher sind das der Win-Loss-Record und der ERA.

Ein Baseballteam in einer Profiliga beschäftigt eine ganze Horde von Coaches, von denen jeder auf einen bestimmten Teil des Spiels spezialisiert ist, zum Beispiel Pitching, Hitting, Field-Coaches im Foul Territory bei der ersten und der dritten Base, Dugout-Coaches, um nur die wichtigsten zu nennen. Der große Chef ist der Manager, ein kampferprobter Guru, der über den Dugout herrscht, die wichtigsten Entscheidungen trifft, Strategien aushickt und als Erster gefeuert wird, wenn das Team anfängt zu verlieren. Aus irgendeinem Grund sind er und seine Coaches genauso angezogen wie die Spieler. Das sorgt häufig für eine gewisse Erheiterung auf dem Spielfeld, da dieser Versuch, in enger Polyesterkleidung fit und jugendlich auszusehen, von vornherein zum Scheitern verurteilt ist. Nach jahrelanger Recherche habe ich immer noch keine schlüssige Erklärung dafür gefunden, warum Baseball-Coaches die gleiche Kleidung tragen wie ihre Spieler. Stellen Sie sich mal einen Basketballtrainer (mittleres Alter, klein, dicklich) vor, der in High-Tops, weiten Shorts und einem ärmellosen Spielertrikot an der Seitenlinie steht. Oder einen Football-Coach mit Schutzpolstern und Helm.

Aber ich schweife ab.

Zurück zu dem Pitcher, der in Schwierigkeiten steckt. Es ist Zeit für einen Pitcher-Wechsel, darum verlässt der Manager den Dugout, bittet um eine Unterbrechung des Spiels und geht langsam zum Wurfhügel. In der Zwischenzeit wärmen sich einige Reliever im **Bullpen** auf, einem abgeschlossenen Bereich jenseits der Outfield-Begrenzung, in dem die Relief Pitcher darauf warten, dass sie ins Spiel gebracht werden. Da sich diese Pitcher in der Regel langweilen, stammen die meisten anzüglichen Baseballwitze aus dem Bullpen.

Der Manager winkt dem Reliever, den er ins Spiel bringen will. Der Starting Pitcher verlässt den Wurfhügel und geht in den Dugout. Er wird an diesem Abend nicht mehr spielen, darf nicht mehr eingewechselt werden und wird drei oder vier Tage lang nicht mehr pitchen, weil er seinen müden Arm schonen muss. Der Reliever stellt sich auf den Wurfhügel, wirft ein paar Pitches zum Aufwärmen und ist dann bereit, es mit dem nächsten Batter aufzunehmen.

In der ersten Hälfte des dritten Innings führt Ihr Team mit 7:0, mit einem Runner auf der zweiten Base und keinen Outs. Der Starting Pitcher der gegnerischen Mannschaft wurde gerade »duschen geschickt« oder hat andere Demütigungen erfahren, die ich hier nicht näher beschreiben möchte. Bei einem derart großen Vorsprung müsste Ihr Team das Spiel gewinnen, und wenn es ab jetzt etwa sechzig Prozent seiner Spiele gewinnt, qualifiziert es sich damit für die Play-offs der verschiedenen US-Divisions und gewinnt vielleicht sogar die Meisterschaft seiner Liga. Damit hat es sich dann die Teilnahme an der World Series erkämpft, einer Best-of-Seven-Serie zwischen der jeweils besten Mannschaft der American League und der National League.

(Ja, wir wissen auch, dass der große Rest der »Welt« meist nichts mit Baseball am Hut hat. Außerdem weigern wir uns, uns mit anderen Baseball spielenden Ländern in echten, weltweiten Play-offs zu messen. Das ist kompliziert, wie alles andere, was mit Baseball zu tun hat.)

So, nun habe ich Sie auf diesen wenigen Seiten von Ihrem ersten At Bat zur World Series geführt. Hoffentlich können Sie sich jetzt ein Baseballspiel ansehen und verstehen die Grundregeln. Wenn Sie jede Minute und jeden komplizierten Aspekt dieses Spiels verstehen würden, hätten Sie keinen Spaß mehr daran. Überlassen Sie das den Spielern, Managern, Sportreportern und Romanautoren.

John Grisham

Werkverzeichnis der im Heyne Verlag erschienenen Titel von John Grisham

© Leonardo Cendamo/Grazia Neri/Agentur Focus

> Bonusmaterial

HEYNE <

Der Autor

John Grisham wurde am 8. Februar 1955 in Jonesboro/ Arkansas, geboren. Als junger Mann träumte er von einer Karriere als Profi-Baseballspieler, doch als sich diese Pläne zerschlugen, studierte er in Mississippi Rechnungswesen und Jura. 1981 schloss er sein Studium erfolgreich ab und heiratete im selben Jahr Renee Jones.

Er ließ sich in Southaven/Mississippi als Anwalt für Strafrecht nieder und engagierte sich außerdem in der Politik. 1983 und 1987 wurde er in das Abgeordnetenhaus von Mississippi gewählt.

Der schreckliche Fall einer vergewaltigten Minderjährigen brachte ihn zum Schreiben. In Früh- und Nachtschichten entstand sein erster Thriller, *Die Jury,* der 1988 in einem kleinen, unabhängigen Verlag erschien.

Sofort nach Fertigstellung von *Die Jury* begann John Grisham mit seinem nächsten Buch, *Die Firma.* Noch vor Erscheinen des Buches erwarb Paramount Pictures die Filmrechte, wodurch die großen Verlage aufmerksam wurden. Schließlich kaufte Doubleday die Buchrechte, und *Die Firma* wurde der Bestseller des Jahres 1991 und stand 47 Wochen in Folge auf der *New York Times*-Bestsellerliste.

Seither hat John Grisham jedes Jahr ein neues Buch veröffentlicht. Alle seine Bücher kamen auf die internationalen

Bestsellerlisten; sie wurden in 38 Sprachen übersetzt. Weltweit sind über 275 Millionen Exemplare verkauft worden. Die meisten seiner Romane wurden auch verfilmt.

Heute lebt John Grisham mit seiner Frau Renee zurückgezogen in Charlottesville/Virginia und auf einer Farm in Oxford/Mississippi. Neben dem Schreiben fördert er die Baseball-Jugend und engagiert sich in karitativen Projekten. Er versucht dem Medienrummel zu entgehen und ein möglichst normales Familienleben zu führen.

»Grisham bürgt für Hochspannung und Qualität, er ist die oberste Instanz des Thrillers.« *Neue Zürcher Zeitung*

»Mit John Grishams Tempo kann keiner mithalten.« *The New York Times*

»John Grisham ist so viel besser als alle anderen.« *Süddeutsche Zeitung*

Die Romane

Die Jury

A Time to Kill

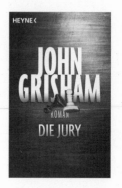

Ein zehnjähriges schwarzes Mädchen wird brutal misshandelt und vergewaltigt. Ihr Vater, Carl Lee Hailey, übt Selbstjustiz und tötet die geständigen Täter. Mord oder Hinrichtung? Gerechtigkeit oder Rache? Jetzt geht es um viel mehr: den Rassenkonflikt, die Machenschaften der Presse und nicht zuletzt die persönlichen Interessen von Staatsanwalt, Richter und Verteidiger.

Die Firma

The Firm

Etwas ist faul an der exklusiven Kanzlei, der Mitch McDeere sich verschrieben hat. Der hochbegabte junge Anwalt wird auf Schritt und Tritt beschattet, er ist umgeben von tödlichen Geheimnissen. Als er dann noch vom FBI unter Druck gesetzt wird, erweist sich der Traumjob endgültig als Albtraum.

Die Akte

The Pelican Brief

In einer Oktobernacht werden zwei Richter des obersten Bundesgerichts der USA ermordet. Die Jurastudentin Darby Shaw legt eine Akte über den schlimmsten politischen Skandal seit Watergate an – ein tödliches Dokument für alle, die sie kennen. Eine erbarmungslose Jagd beginnt.

Der Klient

The Client

Der elfjährige Mark beobachtet den Selbstmordversuch eines Mannes. Er will eingreifen, aber es ist zu spät. Der Mann, ein New Yorker Mafia-Anwalt, stirbt, nachdem er ein Geheimnis preisgegeben hat: Er nennt den Ort, an dem der ermordete Senator begraben liegt, dessen mutmaßlicher Mörder vor Gericht steht. Mark gerät in die Zwickmühle: FBI und Staatsanwaltschaft setzen ihn unter Druck, damit er auspackt. Die Mafia ihrerseits versucht mit allen Mitteln das zu verhindern.

Die Kammer

The Chamber

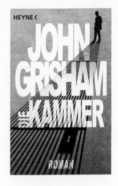

Im Hochsicherheitstrakt des Staats-
gefängnisses von Mississippi wartet
Sam Cayhall auf die Hinrichtung. Er
ist wegen eines tödlichen Bombenan-
schlags verurteilt. Seine Lage ist hoff-
nungslos. Nur der Anwalt Adam Hall
kann ihm noch eine Chance bieten.
Es geht um Tage, Stunden, Minuten.

Der Regenmacher

The Rainmaker

Rudy Baylor, ein Jurastudent im letzten Semester, gewinnt
seine ersten »Mandanten«, ein Ehepaar, dessen Sohn an Leu-
kämie erkrankt ist. Die Krankenversicherung weigert sich,
für die wahrscheinlich lebensrettende Therapie zu zahlen.
Rudy erkennt bald, dass er es mit einem riesigen Versiche-
rungsskandal zu tun hat. Er nimmt den Kampf gegen eines
der mächtigsten, korruptesten und skrupellosesten Unternehmen Amerikas auf.

Das Urteil

The Runaway Jury

In Biloxi, einer verschlafenen Kleinstadt in Mississippi, findet ein Prozess
statt, der weltweit Aufsehen erregt.
Der Richter lässt die Geschworenen
von der Außenwelt abschotten, weil
er fürchtet, dass die Jury von außen
kontrolliert wird. Für einen mächtigen Konzern geht es um Milliarden-
geschäfte.

Der Partner

The Partner

Bevor sie die Falle zuschnappen ließen, hatten sie Danilo Si-
lva rund um die Uhr bewacht. Er führte ein ruhiges Leben
in einem heruntergekommenen Viertel einer kleinen Stadt
in Brasilien. Nichts deutete darauf hin, dass er neunzig Millionen Dollar beiseite geschafft hatte.

Der Verrat

The Street Lawyer

Michael Brock ist der aufsteigende Stern bei einer einflussreichen Anwaltskanzlei in Washington D. C. Er führt ein Leben auf der Überholspur, bis eine Geiselnahme alles verändert. Der Geiselnehmer, ein heruntergekommener Obdachloser, wird erschossen. Michael forscht nach den Hintergründen dieser Tat und spürt ein schmutziges Geheimnis auf.

Das Testament

The Testament

Ein milliardenschwerer, lebensmüder Geschäftsmann, eine gierig lauernde Erbengemeinschaft, die im brasilianischen Regenwald arbeitende Missionarin Rachel und ein ehemaliger Staranwalt, der es noch einmal wissen will – das sind die Akteure in diesem Drama. Es geht um Geld, Macht und Ehre, und es geht um Leben und Tod.

Die Bruderschaft

The Brethren

Drei verurteilte Richter brüten im Gefängnis über einem genialen Coup. Wenn alles klappt, haben sie für die Zeit nach dem Knast ausgesorgt. Sie sind gerissen und haben die richtigen Kontakte, aber ist ihre Strategie wirklich wasserdicht? Meisterhaft entwirft John Grisham ein raffiniertes Szenario, bei dem keiner seiner Helden ungeschoren davonkommt.

Die Farm

A Painted House

In der staubigen Hitze von Arkansas wird ein neugieriger Siebenjähriger plötzlich mit den harten Realitäten des Lebens konfrontiert. Während Luke noch von Baseball träumt und heimlich die Erwachsenen belauscht, gerät er unvermutet in ein Drama um Liebe und Tod, in dem er selbst eine entscheidende Rolle spielt.

Das Fest

Skipping Christmas

Als Luther und Nora zum ersten Mal seit zwanzig Jahren ein kinderloses Weihnachtsfest auf sich zukommen sehen, beschließen sie, mit den gesellschaftlichen Konventionen zu brechen und das Fest erstmals ausfallen zu lassen. Obwohl deshalb allerorts geächtet, halten sie eisern durch, bis am Morgen des 24. Dezember ein Anruf aus der Ferne alle Pläne durchkreuzt. Ein Wettlauf gegen die Zeit beginnt. – Mit seiner urkomischen Weihnachtskomödie beweist John Grisham, dass er auch als Humorist unschlagbar ist.

Der Richter
The Summons

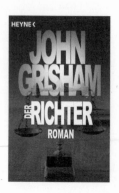

In diesem Bestseller kehrt John Grisham zurück nach Clanton, Mississippi, einer fiktiven Kleinstadt in einem Bezirk, wo der Autor einst selbst als Anwalt tätig war. Dort, im tiefen Süden der USA, muss Ray Atlee das finstere Erbe seines patriarchalischen Vaters, des alten Richters Atlee, antreten. Und schon bald merkt Ray, dass er nicht der Einzige ist, der dessen schreckliches Geheimnis kennt.

Die Schuld
The King of Torts

Clay Carter muss sich schon viel zu lange und mühsam seine Sporen im Büro des Pflichtverteidigers verdienen. Nur zögernd nimmt er einen Fall an, der für ihn schlicht ein weiterer Akt sinnloser Gewalt in Washington D.C. ist: Ein junger Mann hat mitten auf der Straße scheinbar wahllos einen Mord begangen. Clay stößt aber auf eine Verschwörung, die seine schlimmsten Befürchtungen weit übertrifft.

Der Coach

Bleachers

Grishams wohl persönlichstes Buch – ein bewegender Roman um eine väterliche Freundschaft, um Rückkehr und Abschied und um das Spiel des Lebens, das ganz eigenen Regeln gehorcht. Fünfzehn Jahre nach dem tragischen Ende seiner kurzen, glorreichen Profi-Karriere kehrt Neely heim, um sich von seinem damaligen Coach zu verabschieden, der im Sterben liegt.

Die Liste

The Last Juror

Ein junger Zeitungsreporter trägt mit exklusivem Material zur Aufklärung eines grausamen Mordes bei, woraufhin die Begeisterung groß ist. Doch als der mächtige Verurteilte in aller Öffentlichkeit das Leben der Geschworenen bedroht und Rache schwört, verstummen die Jubelrufe. Neun Jahre später kommt der Mörder frei und macht sich daran, seine Drohung in die Tat umzusetzen.

Die Begnadigung

The Broker

Die letzte Amtshandlung des Präsidenten der Vereinigten Staaten ist die Begnadigung eines berüchtigten Wirtschaftskriminellen. Joel Backman war bis zu seiner Verurteilung einer der skrupellosesten Lobbyisten in Washington. Niemand weiß, dass die umstrittene Entscheidung des Präsidenten erst auf großen Druck des CIA zustande kam.
Eine brisante Geschichte aus dem Zentrum der Macht, die nicht vom Weißen Haus, sondern von einem unkontrollierbaren Staat im Staate ausgeht.

Der Gefangene

The Innocent Man

Debbie Carter arbeitet als Bardame im Coachlight Club in Ada, Oklahoma. Eines Morgens wird die junge Frau vergewaltigt und erwürgt in ihrer Wohnung aufgefunden. Sechs Jahre später werden Ron Williamson, ein Stammgast von Debbie, und sein Freund Dennis Fritz aufgrund einer Falschaussage der Tat bezichtigt. Williamson wird zum Tode, Fritz zu lebenslanger Haft verurteilt. Beide beteuern ihre Unschuld.

Touchdown

Playing for Pizza

Als einst umjubelter Football-Star steht Rick Dockery plötzlich vor dem Aus. Ein Angebot aus dem fernen Italien kommt ihm da sehr gelegen: Die Parma Panthers suchen einen neuen Spielmacher. Rick zögert nicht, und aus der Reise ins Ungewisse wird der Aufbruch in ein neues Leben.

Berufung

The Appeal

Sie verlor ihre ganze Familie. Um ihren Tod zu sühnen, zieht Jeannette Baker gegen einen der größten Chemiekonzerne der USA vor Gericht. Als ihrer Klage stattgegeben und das Unternehmen zu 41 Millionen Dollar Schadenersatz verurteilt wird, ist die Sensation perfekt. Doch dann geht Krane Chemical Inc. in Berufung, und eine Intrige unglaublichen Ausmaßes nimmt ihren Lauf.

Der Anwalt

The Associate

Kyle Mc Avoy steht eine glänzende Karriere als Jurist bevor. Bis ihn die Vergangenheit einholt. Eine junge Frau behauptet, Jahre zuvor auf einer Party in Kyles Appartement vergewaltigt worden zu sein. Kyle weiß, dass diese Anklage seine Zukunft zerstören kann. Und er trifft eine Entscheidung, für die er mit allem brechen muss, was bisher sein Leben bestimmt hat.

Das Gesetz

Ford County

Inez Graney scheut keine Mühe, um ihren Sohn zu besuchen. Seit elf Jahren sitzt Raymond im Todestrakt. Seine Brüder, die ihre Mutter stets begleiten, halten Raymond für einen schrägen Vogel. Oft muss Inez zwischen ihren Söhnen vermitteln. So auch diesmal, an diesem besonderen Besuchstag, an dem Raymond Graney hingerichtet wird. John Grisham erzählt Stories, die den Leser ins Herz treffen, und schafft Figuren, die man nie mehr vergisst. Ein Meisterwerk!

Das Geständnis

The Confession

Ein Geständnis in letzter Sekunde steht am Anfang von John Grishams neuem großem Roman. Travis Boyette, ein rechtskräftig verurteilter Sexualstraftäter, der mehr als sein halbes Leben hinter Gittern verbracht hat, gesteht einen Mord, für den ein anderer verurteilt wurde: Donté Drumm. Dieser sitzt seit acht Jahren in der Todeszelle und soll in genau vier Tagen hingerichtet werden. Ein verzweifelter Wettlauf gegen die Zeit beginnt.

Verteidigung

The Litigators

Als Harvard-Absolvent David Zinc Partner bei einer der angesehensten Großkanzleien Chicagos wird, scheint seiner Karriere nichts mehr im Weg zu stehen. Doch der Job erweist sich als die Hölle. Fünf Jahre später zieht David die Reißleine und kündigt. Stattdessen heuert er bei Finley & Figg an, einer auf Verkehrsunfälle spezialisierten Vorstadt-Kanzlei, deren chaotische Partner zunächst nicht wissen, was sie mit ihm anfangen sollen. Bis die Kanzlei ihren ersten großen Fall an Land zieht. Der Prozess könnte Millionen einspielen – die Feuertaufe für David.

Home Run

Calico Joe

Joe Castle ist ein Ausnahmetalent. Bereits in seinen ersten Spielen für die Chicago Cubs schlägt er einen Home Run nach dem anderen. Die Fans sind begeistert, und es dauert nicht lange, bis das ganze Land den jungen Spieler frenetisch feiert. Joes Weg an die Spitze scheint vorgezeichnet zu sein, bis er eines Tages auf dem Spielfeld Warren Tracey gegenübersteht, einem mittelmäßigen Werfer der New Yorker Mets, der Joes Erfolg nicht vertragen kann.

Das Komplott

The Racketeer

Malcolm Bannister, in seinem früheren Leben Anwalt in Winchester, Virginia, sitzt wegen Geldwäsche zu Unrecht im Gefängnis. Die Hälfte der zehnjährigen Strafe hat er abgesessen, als sich das Blatt wendet. Ein Bundesrichter und seine Geliebte wurden ermordet aufgefunden. Es gibt weder Zeugen noch Spuren, und das FBI steht vor einem Rätsel – bis Bannister auf den Plan tritt. Als Anwalt mit

Knasterfahrung kennt er viele Geheimnisse, darunter auch die Identität des Mörders. Dieses Wissen will er gegen seine Freiheit eintauschen.

Die Erbin

Sycamore Row

Spektakulärer hätte Seth Hubbard seinen Tod nicht inszenieren können. Als ein Mitarbeiter ihn eines Morgens an einem Baum aufgehängt findet, ist die Bestürzung im beschaulichen Clanton groß. Hubbards Familie sieht das pragmatischer und ist in erster Linie an der Testamentseröffnung interessiert. Was sie nicht weiß: Kurz vor seinem Tod hat Hubbard sein Testament geändert. Alleinige Erbin ist seine schwarze Haushälterin Lettie Lang. Ein erbitterter Erbstreit beginnt.

Robert Harris

»Robert Harris ist ohne Frage der beste
englische Thrillerautor.« *The Times*

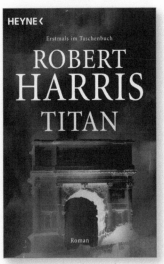

978-3-453-43547-6

Vaterland
978-3-453-07205-3

Enigma
978-3-453-11593-4

Pompeji
978-3-453-47013-2

Aurora
978-3-453-43209-3

Imperium
978-3-453-47083-5

Ghost
978-3-453-40614-8

Angst
978-3-453-43713-5

**Heyne Hardcover:
Intrige**
978-3-453-26878-4

John Grisham

»Seine zehn Gebote heißen Spannung.« *Der Spiegel*

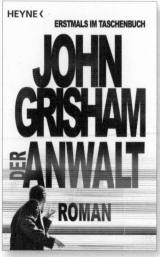

978-3-453-43537-7

John Grisham bei
Heyne – eine Auswahl:

Die Firma
978-3-453-07117-9

Der Regenmacher
978-3-453-12701-2

Das Urteil
978-3-453-13641-0

Die Schuld
978-3-453-87786-3

Die Akte
978-3-453-07565-8

Die Jury
978-3-453-06118-7

Der Gefangene
978-3-453-81174-4

Das Testament
978-3-453-19002-3

Berufung
978-3-453-43454-7

Der Anwalt
978-3-453-43537-7

Leseproben unter: **www.heyne.de**

HEYNE ‹